DE**TOSTI**GIRLS

Copyright © 2011 bij Uitgeverij De Eekhoorn BV, Oud-Beijerland

CIP-gegevens Koninklijke Bibliotheek, Den Haag

Dudock, Yvonne en Amesvoord, Henne van

De Tosti-girls / Yvonne Dudock en Henne van Amesvoord
Internet: www.eekhoorn.com
Vormgeving: Met DT, Zwijndrecht

ISBN 978-90-454-1468-3/ NUR 284

DE**TOSTI**GIRLS

YVONNE DUDOCK & HENNE VAN AMESVOORD

Wat doe jij als je je beste vriendin met jouw hunk betrapt...?

*'One good thing about music,
when it hits you, you feel no pain.'*

Bob Marley

Keihard

'Oké, wat denken jullie, zitten de passen d'r in?'
We knikken.
'Right. Dan nu vanaf het begin. Nog even vlammen!'
'Nog even vlammen, ik kán niet meer.'
'Kom op Lizz, nog één keer die benen in de lucht, daarna mag je aan het infuus,' grap ik.
'Girls, zijn jullie er klaar voor? Jij ook, Pien? Let's go!' Vince drukt op play en met het volume op tien dreunen zware bassen door de schuur. 'Five, six, seven and eight!'
Op het juiste moment zetten we onze passen in. Supergeconcentreerd bewegen we over het podium.
'Joehoe, swinguh,' hoor ik Evi roepen.
Shayla, Lizzie en ik blijven gefocust. O jee, nu komt dat kapot moeilijke stuk. Blijven tellen en nou eindelijk tegelijk m'n benen zús en m'n armen zó bewegen. Niet te geloven... in één keer goed!
'Superdepuper, popjes. Fabulous!' Vince staat voor het podium goedkeurend te knikken.
Wauw... ik kan het. Ik kan het! Soepel dans ik verder op de opzwepende beat. Als in trance staar ik voor me uit. Dan, opeens, zie ik de deur open gaan. Hé, is dat Tom, daar in dat felle zonlicht? Staat hij daar echt? My heart skips a beat. Hij is ook zo vet cool. Zijn diepblauwe ogen, die waanzinnig lange wimpers, die zinderende zoen... Het is overduidelijk, ik ben hopeloos verliefd.
Hallo daar brein, blijven focussen. Voor, twee, drie, draai, opzij, twee, drie, draai en achter... Of was het nou opzij? Shit, nu ben ik de tel kwijt. Als een eersteklas stuntel sta ik op het podium.

In paniek kijk ik naar Vince, misschien heeft hij een aanwijzing? Het angstzweet breekt me uit. O please, ik weet het niet meer. Wat moet ik doen?

Plotseling zie ik vanuit mijn ooghoek een schim op me af komen. In een reflex spring ik opzij, maar ik struikel en voor ik het besef stort ik van het podium. Met een enorme smak beland ik op de grond, m'n hoofd keihard op de stenen vloer. Verdwaasd blijf ik liggen. Er is iets helemaal mis, ik voel het...

M'n hoofd klopt gigantisch. En dan die stekende pijn, het lijkt wel of m'n hersenen uit elkaar spatten. Voorzichtig wrijf ik over m'n gezicht. Er plakt iets warms aan mijn vingers. Wazig staar ik naar mijn hand. Bloed... Ik probeer iets te zeggen, maar er komt geen geluid over m'n lippen. Versuft kijk ik om me heen, dan begint alles te draaien en wordt het zwart voor m'n ogen.

Een week eerder...

1

Die boring folderwijk ook. Nou ja, het is voor een goed doel, m'n zomerkamp met Evi, Lizz en Shayl. Nog een paar huizen, dan ben ik eindelijk klaar. Haastig zet ik m'n fiets tegen een boom en leg de laatste folders over m'n arm. Dan zie ik in de verte Noah fietsen. Mijn adem stokt. Noah... dé knapste jongen ever. Tig meiden uit mijn de klas zijn into him. Maar weet je wat nou zo unbelievable is, hij is míjn vriendje. Helemaal-van-mij-alleen. Al twee maanden, acht dagen, vijf uur en elf minuten.

'Noah!' Voor ik het weet, sta ik wild met m'n armen te zwaaien. De hele stapel folders glijdt op de grond. 'Kaa-uuu-tee!' Vlug gris ik alles bij elkaar en als ik weer opkijk, sta ik oog in oog met m'n hunk. Enthousiast begin ik aan één stuk door te ratelen. As usual.

Noah knikt alleen maar.

'Is er wat?' vraag ik.

'Hoezo?'

'Nou, hoor je wel wat ik zeg. Vanavond de laatste repetitie voor het slotfeest van vrijdag. Hartstikke belangrijk. By the way, hoe laat kom je me vrijdagavond ook al weer ophalen?'

'Ja nou, eh...' Dan gaat z'n mobiel. Noah kijkt op het display, draait zich snel om en begint zachtjes te praten.

En ik dan, vraag ik me af, terwijl ik naar zijn brede rug kijk.

'Heb geloof ik haast. Moet gaan,' zegt hij even later.

'Oh, loop je niet nog even mee? Ik ben bijna klaar met die kuttige folders.'

'Sorry, geen tijd.'

'Eén kusje dan?' Ik hou het niet meer en bespring hem zowat.

'Moet dat? Ik bedoel, hier midden op straat?'

'Nou ja, we zijn toch een setje?'

Ik hang nu echt om z'n nek. Mm, wat ruikt ie weer lekker. Ik geef hem een zoen, maar net op dat moment draait hij z'n hoofd weg. De kus belandt ergens op zijn wang, vlakbij z'n oor. 'Hè toe nou, één kusje?'

Noah staart wat in de verte. Waar is hij in godsnaam met z'n gedachten?

'Eén kleintje, please?' smeek ik voor de laatste keer.

'Oké dan.'

Ik druk mijn mond op de zijne en geef me over, klaar voor een heerlijke French kiss. Maar zover komt het niet. Voor ik het besef, maakt Noah zich uit mijn omhelzing los.

'Moet nu echt gaan, Pien.'

'O, echt,' stamel ik. 'Nou ja, weet je, ik eigenlijk ook. Ben anders weer te laat bij die repetitie. We sms'en nog wel, toch?'

Hij knikt en pakt zijn fiets. Dan stapt hij op en rijdt weg.

'Daag...' Beduusd werp ik hem nog een handkusje toe.

Zonder zich om te draaien, steekt hij zijn hand op. Verder niks.

Niet veel later ren ik thuis de keuken binnen. 'Hoi mam!'

'Hé Pien,' hoor ik terwijl ik naar boven storm. Wild knal ik m'n kamerdeur open, schop m'n gympen uit en struikel half over m'n rugzak. Crisis, ik moet nu echt opschieten. Straks ben ik wéér te laat op de repetitie. En zal je zien, krijg ik voor de zoveelste keer een uitbrander van Michiel.

Uit de kast trek ik een afgeknipte spijkerbroek, hemdje en vestje. Waar zijn nou weer mijn Havaianas? Die lagen toch onderin? Ik graai in de rommel, op zoek naar m'n teenslippers. Gelukkig, daar zijn ze. Nu nog mijn zonnebril. Waar is dat kreng? Ik wil net m'n rugzak uitmesten, als de ringtone van mijn mobiel klinkt. Ergens uit die berg kleren op de grond. Net op tijd graai ik 'm er tussen uit.

'Aloha Josje.'

'Hey Pien. Ben jij vandaag nog naar wiskunde geweest?'
'Wat denk je zelf? De enige les dat ik naast Noah zit. Tuurlijk ben ik geweest. Of ik wat heb opgestoken is een ander verhaal. Maar waar was jij trouwens, ouwe spijbelaar?'
'Nou eh... wil je het echt weten?'
'Drie keer raden, chillen bij Coffee&Keek met je hunk deluxe? Laat maar, hoef de details niet te horen. Waar bel je eigenlijk voor?'
'Nou, we schijnen morgen een onverwacht SO te krijgen.'
'Dat méén je niet! Van wie heb je dat?'
'Wiebo, onze supernerd. Wie anders?'
'Lekker dan. En nu wil je zeker weten wat we moeten doen.'
Josje zucht. 'Hoe raad je het...'
'En dan bel je mij, de chaoot van de klas? Lekker slim.'
'Ja eh... Nou, gewoon...'
'Blijf hangen, ik check effe...' Met één hand graai ik in mijn rug-zak en haal mijn agenda tevoorschijn. 'Hoofdstuk zeven, iets met sinus, cosinus, tangens en meer van dat gedoe.'
'Thanx, je bent een schat.'
'Moet nu echt hangen hoor. Ben alweer veel te laat.'
'Vertel eens iets nieuws,' lacht Josje. 'Later.'
Ik staar naar mijn mobiel en kijk recht in Noah's sexy face op m'n display. Het klokje, dat half over zijn donkere haar oplicht, geeft vijf voor acht aan. Shit, over vijf minuten begint de repetitie al. Dat haal ik nooit. Snel pak ik mijn basgitaar en als een razende spurt ik de trap af, door de keuken naar buiten. 'Dag mam, tot straks.'

Het schoolplein ligt er verlaten bij. Bezweet en buiten adem zet ik mijn fiets in het rek, wurm het slot tussen de spaken en ren naar binnen. In de deuropening van het muzieklokaal blijf ik, heftig nahijgend, staan.
'Zo dame, lekker op tijd,' moppert Michiel, de muziekleraar. 'Wat was het dit keer? Brug open, ketting eraf, lekke band of had de poes vlooien?'.

'Sorry hoor.'

'Oké, oké. Plug je bas maar in. Even stemmen en pielen, dan gaan we er zo stevig tegenaan.'

Terwijl ik mijn bas uit de hoes haal, zie ik Lizzie naar me kijken. Die ziet er weer superhip uit. Coole All Stars en zonder twijfel een splinternieuwe strakke jeans.

'Doe je ook nog mee, Miss Punctuality?' bitst ze chagrijnig.

Wat is er met háár aan de hand? Hier heb ik geen zin in. Met m'n rug naar haar toe sluit ik alle snoertjes aan.

'Hé Pien,' klinkt het ineens achter me. Het is Evi. 'Was je verdwaald of zo?'

'Nee joh, die irri folderwijk.'

'Hoezo irri?'

'Nou, mijn moeder vindt toch dat ik moet meebetalen aan ons weekje Music&Dance van Camps? Dus heb ik het eerste het beste baantje genomen dat ik tegenkwam. Je weet wel, via zo'n blaadje in de bus waarin ze je als bezorger vet veel geld beloven. Ben ik mooi klaar mee. Dat is eens maar nooit weer.'

'Waarom niet?'

'Wat denk je zelf? Het is nou niet bepaald een megajob. Weet je nog, vorige week? Toen het zo lekker regende? Moest ik wel mooi die boeiende blaadjes rondzeulen. Echt zeiknat was ik, compleet doorweekt. Ik stond te soppen in mijn gympen.'

'O.'

Michiel komt bij ons staan. 'Zijn we compleet? Dan kunnen we beginnen, nog effe de puntjes op de i. Dat eindfeest is vrijdag al.'

Shayla pakt de microfoon, terwijl Lizzie het eerste akkoord aanslaat. Niet veel later spelen we de sterren van de hemel. Hoewel Lizzie nog steeds wat chagrijnig oogt, gaat ze helemaal op in de muziek. Er verschijnt zelfs een vage glimlach op haar gezicht.

Het loopt lekker. Trots kijk ik naar Shayla, Evi en Lizzie; drie totaal verschillende meiden die al sinds de eerste bij elkaar op het Toorop College zitten. Toen ik in de tweede bij ze in de klas kwam, hadden we meteen een klik. Vanaf dag één waren we

Best Friends Forever. Helemááwater toen bleek dat we allevier crazy waren van muziek; luisteren, maar vooral spelen. Het was Shayla's idee om samen af en toe wat covers te doen. Dat ging zo tof, dat we het best aandurfden om als schoolband op het eindejaarsfeest op te treden. Meteen waren we naar Michiel gestapt en hij had superenthousiast gereageerd.

De afgelopen maanden hebben we kapot hard gerepeteerd. En met resultaat! Shayla heeft een dijk van een stem, donker, warm, soms rauw en raspend. Dat zijn vast haar roots, haar familie komt uit Suriname. Evi is een superdrummer. Echt een toffe meid. M'n allerbeste vriendin, een schat, maar af en toe wat onzeker. Prima toch, dat ze zich achter haar drumstel kan verschuilen? En dan Lizzie, eigenlijk Charlize. Knettermaf die naam, maar volgens haar ouders juist very special. Nou, neem van mij aan dat Lizz daar zelf héél anders over denkt. Maar goed, ze is dus absoluut niet the-girl-next-door. Zeg maar gerust de fashionista van de klas. Thuis hebben ze bakken met geld. Die heeft me een muziek-lessen gehad: zang, piano, gitaar... Echt een multitalent is ze niet, maar ze gaat er wel voor. En ik? Ik mag dan een first class chaoot zijn, toevallig ben ik wel mega op de bas!

2

'Wow, dat laatste nummer ging lekker mellow.' Met een zucht laat Shayla zich naast Evi op de loungebank vallen. 'En nu moet ik echt wat drinken. My God, ik ben kapot!'

Lizzie en ik hangen in twee luie fauteuils. Je weet wel, van die vintage met van dat verweerde leer. Eigenlijk zitten we altijd in hetzelfde hoekje bij Coffee&Keek, onze favoriete hang-out vlakbij school.

'Zal ik dan maar wat gaan halen? Vier latte macchiato's, as usual?' vraagt Evi.

'Nee, doe mij maar een ijskoude coffeecrush. En een tosti van de week natuurlijk, die met geitenkaas en mango,' zegt Lizzie. Dan staat ze weer op. 'Moet éven plassen.'

Als Lizzie uit het zicht verdwenen is, buig ik me samenzweerderig voorover naar Evi en Shayla. 'Wat is er met háár aan de hand? Ze deed toch bitchy toen ik het muzieklokaal binnenkwam.'

'Geen idee. Heb 'r nog niet echt gesproken,' antwoordt Evi. 'Dat SO wiskunde van morgen misschien? By the way, weet je dat al?'

'Ja, Josje belde me. Compleet crazy, een SO vlak voor de vakantie. Alleen een deo-loze randdebiel als Böhmer kan zoiets verzinnen. Maarre... heb je Lizzie ooit chagrijnig voor een SO gezien? Die heeft zich nog nóóit druk gemaakt over haar huiswerk. Weet je wanneer ze depri is? Als ze een bad hairday heeft. Ze is nu ook alweer een halfuur weg voor-weet-ik-veel-wat.'

'Waarom vragen we het haar niet gewoon,' oppert Shayla. 'Ze zal ooit wel terugkomen. Trouwens Eef, waar blijft die macchiato nou? En doe er alsjeblieft een glas water bij. Ik ben totally uitgedroogd.'

Even later laat Lizzie zich weer in haar fauteuil zakken. Haar gezicht staat op onweer.

'Problemas, Lizz?' vraagt Shayla nieuwsgierig.

'Hoezo?'

'Heb je net niet in de spiegel gekeken dan?'

'Huh?'

'Ja, en bij de repetitie was je ook niet bepaald charming,' val ik bij. 'Oké, ik kwam te laat, maar dan hoef je nog niet zo bitchy te doen. Nobody's perfect.'

'Oh… dat. Ja, sorry hoor.'

'Even serieus, er zit je iets dwars,' zegt Evi. 'Ik bedoel, ik zie het gewoon.'

'Ach, aan jullie kan ik het ook wel vertellen… Ik baal gigantisch.'

'Wat dan?' Ik schuif naar het puntje van mijn stoel.

'Nou, m'n vader moet weer eens onverwacht op zakenreis. Naar New York dit keer! En uitgerekend vrijdag, twee dagen voor ons zomerkamp. M'n hele leven droom ik al van die stad. M'n moeder gaat natuurlijk weer mee. Shop till you drop, weet je wel. Verdomme, ik wil ook naar New York! De place to be, zeker voor mij. UGGs kosten daar maar vijf-en-veer-tig dollar!'

'Vijfenveertig dollar, dat kán niet,' onderbreekt Shayla.

'Ik zag mezelf al helemaal lopen op Fifth Avenue,' mijmert Lizzie verder. 'Lunchen bij zo'n hippe tent, je weet wel, waar al die celebs komen… Flirten in Central Park, stappen in het Meatpackers District. Maar nee hoor, ik zit lekker thuis, met die loser van een broer van me. Die moet natuurlijk weer op me passen.'

'Wow, jij boft,' lacht Evi.

'Not…' vul ik aan.

Maar Lizzie gaat onverstoorbaar verder. 'Toen mijn vader het vertelde, was ik zó pissed. Dus om het een beetje goed te maken, kreeg ik vanmiddag zijn creditcard mee. Wat vinden jullie trouwens van mijn nieuwe jeans?'

'Ja, slick.'

'Lekker retro ook.'

'Maarre, nog even over je broer en dat oppassen en zo.' Shayla zet haar koffie neer. 'Je hoeft toch niet de hele tijd bij hem op schoot te zitten? Get a life, Lizz, je bent vijftien! Weet je wat, waarom kom je zaterdag niet bij mij pitten? Dan hebben we vrijdag het eindfeest gehad, en zondag vertrekken we alweer naar Camps. Heb je nauwelijks last van je broer. En... kunnen we lekker samen PopFactory kijken.' Shayla's ogen glinsteren.

'PopFactory?' roept Evi.

'Gezel, dan komen wij ook. Toch, Eef? Het wordt wel weer tijd voor een slaapfeestje. En by the way, I love PopFactory!'

'Ooo... jullie zijn schatten. Een slaapfeestje, lekker bankhangen. Wat een strak plan!' Lizzie fleurt helemaal op. 'Ik kan haast niet wachten. Weet je wat, we doen nog een rondje. Iemand nog een tosti? Ik trakteer.'

Terwijl Lizzie naar de bar loopt, piept mijn mobiel. Ik trek het ding uit m'n broekzak.

'Van wie is het, Pien? Je secret lover?' zwijmelt Shayla.

'Secret lover? No way, ik heb Noah to...' Plotseling val ik stil.

'Nou, wat staat er?'

Dit kan niet waar zijn. Wat is dit? Als versteend lees ik het nog een keer. En nog eens. En nog eens. Maar het staat er echt.

'Pien, wat is er? Je ziet lijkbleek.'

'Ik... ik... Nee... Hoezo, waarom...? Dit kan niet.' Verdwaasd kijk ik op.

'Wat kan niet, Pien?'

'Het is uit. Noah maakt het uit.'

'Wát?'

'Echt, het staat er echt. "Kan hier niet meer mee doorgaan. Sorry, Noah", lees ik voor.

Met open mond staren Evi en Shayla me sprakeloos aan.

'Dat méén je niet,' zegt Shayla dan eindelijk. 'Jullie waren zo'n cool setje. En zo in love.'

Evi drukt haar neus zowat op het display. 'Wat staat er? Wat zegt ie nog meer?'

'Niks. Helemaal niks.'

'Wat een asshole. Zoiets flik je toch niet? Ik bedoel, je maakt het toch niet uit met een focking sms'je.'

Verslagen staar ik naar buiten.

'De tosti's komen zo.' Lachend zet Lizzie vier macchiato's op het tafeltje. 'Djiezz, wat is hier aan de hand? Is er iemand dood of zo?'

M'n keel knijpt samen en ik voel me opeens kotsmisselijk. Ik kan het niet geloven. Noah, míjn Noah heeft het uitgemaakt. Dit is niet waar. De tranen prikken in mijn ogen.

'Noah heeft het uitgemaakt,' legt Shayla uit.

'Met een sms'je,' vult Evi aan.

'Dat méén je niet! Wat een sneaky bastard. Zie je wel, weer zo'n gast met bindingsangst.' Lizzie rolt met haar ogen en laat zich in de fauteuil zakken.

'Ik moet hem bellen,' zeg ik zachtjes.

'Ben je gek! Je gaat toch niet als een schoothondje achter hem aanlopen? Nee hoor, laat hem lekker barsten. Dikke middelvinger voor die Noah. Typisch iets voor boys trouwens, om het vlak voor de vakantie uit te maken. Hebben ze mooi hun handjes vrij op het strand van Kreta, Mallorca of wherever.'

'Right,' knikken Evi en Shayla tegelijk.

'Nee maar echt, Pien, niet zo depri. Dat is ie niet waard.'

Ik zucht diep. Natuurlijk, ze hebben gelijk. Maar stiekem wil ik hem gewoon terug.

'En by the way,' gaat Lizzie verder, terwijl ze een arm om me heen slaat, 'wij gaan op kamp. Daar zijn for sure hordes hunks. Geloof me, Pien, voor je het weet, is Noah history.'

3

'Hé joh! Kijk uit met dat blikje. Ik moet daar nog slapen!'
Verschrikt wijst Evi naar haar kussen.

'Oeps.' Net op tijd redt Lizzie haar Bacardi.

Bezweet en met een woeste bos krullen, klampt Shayla zich aan
de kastdeur vast. 'Nou ja, je kunt hier ook je kont niet keren met
al die matrassen en rotzooi op de vloer. Maar chill dat jullie er
zijn. Tof van je broer ook, Lizz, dat je hier mocht pitten.'

'Nou tof, puur eigenbelang. Kan hij vanavond lekker z'n gang
gaan. Wedden dat er al een chickie op z'n schoot zit?'

'Dat kan ik me wel voorstellen. Casper is best stoer.' Verlegen
kijkt Evi van ons weg. Ze bloost.

'Cas, stoer? Dat meen je niet!'

'Nee, effe serieus. Als het je broer niet was, denk je daar heel
anders over.'

Ik knik instemmend, mijn blik op de tv. Noah is pas stoer, denk
ik, en ik voel een gemene steek. Op school heeft hij me de afgelopen dagen constant ontweken. Sinds het uit is, hebben we elkaar
niet één keer gesproken. Het lijkt wel of ie me bewust uit de weg
gaat. En op het slotfeest gisteren zag ik hem steeds kletsen met
Milou. Niet zomaar kletsen, nee, hij lachte zo lief. Zoals ie dat
ook altijd naar mij deed. Maar volgens Lizzie ben ik veel beter af
zonder hem. Het was gewoon niet meant to be. En bovendien kan
ik nu lekker los. Lekker los? Ik moet er niet aan denken. Ik voel
me nog zó heartbroken.

'... dus jij vindt m'n broer stoer, Eef? Laat het hem maar
niet horen. Hij kan soms zo arro doen,' hoor ik Lizz mopperen.

Van schrik schiet ik uit m'n depressie.

Evi trekt een blikje Bacardi open. 'Op Casp... Uh, o nee, op Camps. Cheers!'

'En op alle hunks daar,' giert Lizzie.

Melig en licht aangeschoten zie ik ze over elkaar heen rollen. De vloer van Shayla's kamer ligt bezaaid met van-alles-en-nog-wat: de weekendtassen van mij en Evi, de trolley en beautycase van Lizz, blikjes, chips, slaapzakken, boeken, tijdschriften. En in het midden de koffer van Shayla. Hij puilt bijna uit.

'Zal ik deze of deze meenemen. Wat vinden jullie?' Shayla houdt twee bikini's omhoog, maar niemand van ons reageert.

'Hé, zit niet zo hersenloos naar die tv te staren. Help nou effe! Ik kan wel een beetje support gebruiken. Deze of deze?'

Onverschillig kijken we op, maar bij het zien van de bikini's komt Lizzie helemaal tot leven. 'O, definitely die felgele! Laat mij eens passen.' Begerig graait ze de bikini uit Shayla's hand.

'Staat die kleur je wel?' plaag ik, terwijl ik krampachtig probeer Noah uit mijn gedachten te deleten.

'Tuurlijk joh, mij staat alles.' Vliegensvlug trekt Lizzie het minuscule niemendalletje aan.

'Hij staat je ge-wel-dig.' Evi kijkt bewonderend.

'Hou je dat wel vol, Lizz, de hele dag je buik in?' proest Shayla.

'Buik, buik? Wélke buik? No worries.'

'Weet je wat, ik neem ze allebei mee.' Kordaat mikt Shayla de twee bikini's in haar koffer. Uit de kast pakt ze meteen een hele stapel hemdjes. 'Kom op Shayl, effe meer tempo,' mompelt ze in zichzelf. 'Dan kun je straks met een heel, in plaats van een half oog PopFactory kijken.'

'Joh, gooi al die hemdjes er gewoon bij. Dan is-ie vol.'

'Strak plan.' Shayla klapt het deksel van haar koffer dicht, gaat erop zitten en propt de laatste kledingstukken naar binnen. Met moeite trekt ze de rits dicht. 'Klaar,' stelt ze tevreden vast en wurmt zich tussen Evi en Lizzie op de bedbank. 'PopFactory, here I am. Let the show begin!'

'Djiezz, daar zaten die twee losers er behoorlijk naast.' Lizzie schudt minachtend haar hoofd.

'Bye, bye, die vliegen eruit,' gniffelt Evi. 'Trouwens, ik vind ze een weird setje. Moet je hem nou zien met die maffe blouse en broek. So boring. En zij… zij kan totaal niet zingen.'

'Hun stemmen passen ook niet bij elkaar.'

'Mwah,' zegt Shayla, 'dat valt nog wel mee. Ze moeten alleen geen rocknummer doen. R&B is veel meer hun ding. Weet je wat ík vind? Hun namen bekken niet lekker. Diana & Edwin, net een stel fossielen.'

Op het podium verschijnt Chiara. Met haar lekkere sing-along is ze duidelijk een van de kanshebbers. Het publiek in de studio gaat compleet uit zijn dak. Shayla begint zachtjes mee te neuriën en niet veel later brullen we allevier uit volle borst mee. Dan is eindelijk Yannick aan de beurt. Hij covert een gevoelige ballad.

'Oh My God, wat een stem.' Gedachteloos graait Shayla een hand chips uit de zak.

'Dat niet alleen,' zwijmelt Lizzie. 'Hij is ook zó'n hottie. Als die in mijn bed ligt, schop ik hem er niet uit…'

'Klets er nou niet steeds doorheen,' moppert Evi. 'Naar een ballad moet je luisteren, het gaat juist om de tekst.'

'Eens,' beaam ik. 'Dus snavels dicht. En kraak niet zo met die chips, Shayl.'

Na de laatste akkoorden maakt Yannick een buiging en kijkt voldaan naar de jury.

Shayla begint enthousiast te joelen. 'Woehoe, ongelofelijk… Je moet toegeven, die gozer heeft me een voice.'

'Ja, vinden wíj. Maar wat vindt de jury? Die Jeroen focking Lindhout spoort soms echt niet. Neem nou die opmerking van vorige week, die sloeg echt nergens op. Maar die boyband vloog er wel mooi uit. Belachelijk toch? Als ik hem ooit tegen-kom, zal ik hem eens flink de waarheid vertell…'

'Sst,' sist Evi.

Een voor een vellen de juryleden hun kritische oordeel over Yannick.

'Wát! Is die Manon Sassen doof of zo?' stampt Lizzie verontwaardigd. 'Elke debiel kan toch horen dat hij dat nummer megacool deed? En dan geeft die muts Jut en Jul wél een acht!'

'Rustig nou. We weten nog helemaal niet wie de jury gaat dumpen. Dat komt zo.'

'En dan... dan moet het publiek nog stemmen,' fluistert Shayla geheimzinnig. 'Wij dus...'

Op tv staan de deelnemers schouder aan schouder voor Victor. Een voor een, en tergend langzaam, noemt de presentator de namen van de kandidaten die door zijn. Gespannen kijk ik toe. Als laatsten blijven Yannick en Diana & Edwin over.

'Unbelievable!'

'Van een van jullie moeten we vanavond... met pijn in ons hart... afscheid nemen,' kwijlt Victor.

'Afscheid nemen van Yannick? Wat denkt die glibber wel, dat trek ik niet.' Lizzie is intussen in alle staten. 'Waar is mijn iPhone? Ik moet nú sms'en!' Ze sjort haar mobiel uit haar jeans en typt verbeten Yannick in. 'Kom op, ladies. Jullie willen toch ook niet dat Yannick eruit gaat? Effe actie!'

Shayla en Evi zitten al driftig te sms'en. Ik twijfel. 'Weet je wel wat dat kost? Ik heb niet zoveel beltegoed meer en wil nog wat overhouden voor het zomerkamp.'

'Toe nou, ééntje... Niet voor mij, maar voor Yannick,' smeekt Lizzie. 'Geef maar hier, je mobiel.'

Voor ik het in de gaten heb, grist Lizzie m'n telefoon uit m'n handen.

'Wát? Dit kan echt niet!'

'What's up?' Shayla ruikt sensatie.

'Pien heeft nog steeds die foto van Noah op d'r mobiel.' Lizz schudt haar hoofd en kijkt me meewarig aan. 'Het is over. Uit. Voorbij. Passé. Finito. Met die kop die steeds naar je grijnst, kom je er nooit overheen. Exit met die klojo.'

Ik friemel wat aan mijn oorbel en doe alsof ik nadenk.

'Je moet die foto deleten, Pien. Echt, geloof me.'

Ik twijfel, maar steek toch m'n hand uit. 'Oké dan, geef maar hier. Kan ik ook meteen voor Yannick sms'en.'

'Super, je bent mijn allerliefste BFF.'

'Wat jij wil.'

4

Shayla legt haar mobiel weg en staart naar haar koffer. 'Heb ik nou alles? Wat denken jullie?'

'Hij zit toch vol?' antwoord ik droog.

'Ja, maar...'

'En anders kun je wel wat van ons lenen. Of we kopen daar wat. We gaan een week op zomerkamp, niet een half jaar naar Ethiopië!'

'Eens!'

Met z'n vieren hangen we melig op Shayla's bedbank.

'Boring, nog steeds reclame. Effe zappen.' In moordend tempo gaat Shayla alle zenders af. Bij TMF blijft ze hangen. 'Mm, cool nummer.'

'Kijk eens of PopFactory alweer begonnen is.' Nerveus wip ik op en neer.

'Nee joh, ze moeten eerst al die sms'jes voor Yannick nog tellen. En al die tweets en zo. Daar zijn ze wel even mee bezig.'

'Nou, dan lust ik nog wel wat chips. Geef mij die zak eens, Pien.' Evi kijkt hebberig.

'Te laat.' Pesterig houd ik de zak ondersteboven, de laatste kruimels dwarrelen op de grond.

'Lekker dan, als ik er twee heb gehad, is het veel.'

'Don't worry. Wil je anders een tosti?'

'Altijd.'

'Ik ook.'

'Jij Lizz?'

'Vier, dus.' Shayla staat op en worstelt zich door de bende naar de gang.

'Wacht, ik loop wel effe mee,' zeg ik. 'Kunnen we gelijk wat te drinken halen.'

Samen stommelen we de trap af.

'Pak jij de mozzarella en tomaat? En de kaas en de ham? Bovenste plank in de koelkast.' Uit een keukenkastje pakt Shayla het tostiapparaat.

'Hé Shayl, alles onder controle?' Marvin stapt de keuken binnen.

'Ja, pap. Tuurlijk.'

'Ruikt lekker, die gesmolten kaas.' Hij klapt het tostiapparaat open en inspecteert de broodjes.

'Afblijven!'

'Oké, oké.' Marvin leunt tegen het aanrecht. 'Hoe laat moet ik jullie morgen ook al weer naar dat kamp brengen?'

'Elf uur, denk ik. Toch Pien?'

Ik heb geen idee waarom ze dat aan mij vragen. Als er iemand cha-otisch is, ben ik het wel. Ik bedoel, wie is er altijd te laat, kan nooit wat vinden en zo?

'Denk ik, denk ik... Hoe laat moeten jullie daar nou precies zijn?' vraagt Marvin.

'Eh, één uur of zo?'

'Nou, dan vertrekken we half elf op z'n laatst. Voordat jullie alle-maal in die auto zitten...' Lachend schudt Marvin zijn hoofd.

'Je bent de allerliefste van de wereld.' Shayla geeft haar vader een dikke knuffel.

'Weet ik toch.'

Met een fles cola onder haar arm en in elke hand twee glazen ver-dwijnt Shayla weer naar boven. Ik hobbel achter haar aan met een bord vol tosti's.

'Slaap lekker straks, tosti-girls,' hoor ik Marvin nog roepen.

Bovenaan de trap staat Lizzie driftig te gebaren. 'Schiet nou o-op, het begint weer. Zo meteen de uitslag. Oh My God, laat het niet Yannick zijn.'

Met onze handen vol stommelen we de laatste treden op. 'Hé Lizz, pak eens aan.' Shayla knikt naar de fles cola onder haar arm.

'Hier, eet smakelijk!' Ik hou het bord voor Evi die nog altijd gebiologeerd naar de tv staart. Geschrokken kijkt ze op. 'Eh, dank je.'

'Wie wil er cola?' Shayla houdt een glas omhoog.

'Cola? Zijn de blikjes Bacardi op dan?' vraagt Lizzie verbaasd.

'Ja.'

'Wat, nu al? Had m'n broer er niet meer moeten kopen?'

'My God Lizz, je hoeft je toch niet altijd lam te zuipen en kotsend boven de wc te eindigen?' Plagend zwaait Shayla een opgeheven vinger voor Lizzies neus.

'Koppen dicht,' roep ik. 'Het begint.'

Alle vier nestelen we ons weer op Shayla's bedbank.

'Zeg het dan, Victor. Draai er nou niet langer omheen.' Lizzie schuift onrustig heen en weer. Ook ik houd het niet meer.

De presentator blijft eindeloos rekken en rekken. De gezichten van de deelnemers staan strak, de spanning is om te snijden. 'Diana en Edwin... Yannick... De jury heeft een beslissing genomen... en de kijkers thuis hebben massaal gestemd. Een van jullie moet vanavond naar huis.' Weer laat Victor een zenuwslopende stilte vallen.

'Yannick,' zegt Victor dan eindelijk. Langzaam zoomt de camera in op het gezicht van Yannick. Zenuwachtig bijt hij op zijn lip. 'De jury was vanavond heel kritisch over je. Over je songkeuze, je uitvoering, je interpretatie. Ik kan er een lang verhaal van maken, maar dat is helemaal niet nodig. Heel Nederland ziet je zitten. Je bent hartstikke dóóóóór!'

Uitzinnig van vreugde steekt Yannick zijn gebalde vuist in de lucht. Dan werpt hij een kushandje naar Manon Sassen en lacht verleidelijk in de camera. 'I love you,' fluistert hij zwoel. De zaal explodeert en ook bij ons barst het feest los.

'Yes, yes, yes!' gilt Lizz en springt samen met Shayla over alle matrassen. 'Hij is door. Hij is door. Hij is door! Zie je wel dat die muts van een Manon er geen verstand van heeft. Iedereen ziet Yannick zitten. Ik zou zo in de jury kunnen.'

Voldaan laat ze zich weer op de bank vallen.

'Ach, kijk nou, Diana en Edwin druipen af,' zegt Evi meelevend.

'Whatever, moet je maar niet zo vals zingen.'

Op tv verschijnt de aftiteling met een close-up van een mega-happy Yannick. Idolaat glimlacht Lizzie naar haar favoriet. 'Hij is echt mijn held... Hij...' De commercials verstoren wreed haar gezwijmel. Wég is Yannick. Verdwaasd staart Lizzie naar het beeld.

'Iets anders kijken?' stelt Evi voor. 'Filmpje ofzo?'

'Goed plan, waar is de AB?' Shayla kijkt om zich heen. 'Schuif eens op Pien, volgens mij zit je erop.'

'Nee joh, hij ligt gewoon daar, op dat kussen.'

Razendsnel zapt Shayla de zenders langs.

'Stop! Is dat niet die film over die stelletjes op een zeilboot?'

'Ja, die een drenkeling redden. Supereng, volgens mij. Niet verder zappen hoor, effe kijken.'

'Maar hij is al begonnen...' aarzelt Evi.

'Wat maakt dat nou uit, vertel ik wel even waar het over gaat.'

Niet veel later zitten we nagelbijtend op de bank.

'Zo'n creep neem je toch niet zomaar aan boord?'

'Je zit midden op zee, Shayl. Moet je 'm dan maar laten verzuipen? Dat doe je toch niet?'

'Nee, maar dan dump je hem toch weer. Zo snel mogelijk, bedoel ik. Moet je kijken wat een freak. Een mooi koppie, maar ondertussen...'

'Iehhhh... hij heeft een mes!' Vol afgrijzen slaat Lizzie haar handen voor haar ogen. Dan gluurt ze stiekem door haar vingers. 'Is het weg?'

'Weg? Het wordt alleen maar enger. Hij sluipt nu naar dat meisje toe,' verklap ik.

'Ik kap ermee, ik krijg hartkloppingen.' Lizzie laat zich op een van de matrassen vallen en pakt een glossy van de vloer. 'Kijken jullie maar lekker verder, stelletje sensatiebakken!'

Langzaam bereikt de film z'n climax. Ik knijp een kussen fijn, Shayla draait zenuwachtig strengetjes van haar krullen. En Evi?

Die blijft ogenschijnlijk kalm; alleen haar linkervoet wiebelt non-stop.

'Hè hè,' zucht ik, als de eerste commercial door de kamer schalt. 'Dat hebben we overleefd.'

'Zo, genoeg spanning voor één avond.' Kordaat doet Shayla de tv uit. 'Iemand nog wat chips of een tosti of zo?'

'Neuh.'

'Cola, dan?'

'Ben eigenlijk doodmoe.'

'Me too.'

Evi en ik laten ons van de bedbank glijden en kruipen in onze slaapzak.

Shayla reikt naar het bedlampje. 'Zal ik het licht dan maar uit doen?'

'Wacht even, ik lig nog niet goed.' Evi rommelt wat aan haar slaapzak. 'Oké, het kan.'

Het is net donker, wanneer Lizzie opeens weer over New York begint. 'Het is daar nu avond, waar zouden ze gaan eten? Hebben ze al geshopt of celebs gespot?'

'Lizz, kappen nou. Morgen heb je iets veel leukers aan je hoofd. Ons zomerkamp, met weet ik veel hoeveel coole boys,' zegt Shayla.

Ik hoop het van harte, kan ik tenminste Noah uit m'n kop zetten, denk ik. Vanavond heb ik niet eens zo veel aan hem gedacht. That's a start, toch?

'Het kraakt in mijn bed,' mompelt Evi ineens. 'Doe het licht nog eens aan.'

'Huh?'

'Moet je zien, ik lig hier op een kilo chips! Lekker!' Zorgvuldig veegt Evi de chips weg en laat zich weer op haar matras vallen.

'Trusten,' Shayla knipt het bedlampje uit. 'Droom ze allemaal. Over Camps, PopFactory, Yannick of...'

En dan, voor het eerst die avond, is het helemaal stil.

5

'On-ge-lo-fe-lijk Pien, je bent niks vergeten!' zegt Evi, terwijl ze haar weekendtas de trap afsjouwt.

'Zo chaotisch ben ik dus ook weer niet,' stel ik tevreden vast. Dan sla ik als door een wesp gestoken een hand voor mijn mond. 'Néééé!'

'Wat is er?' Lizzie steekt haar hoofd om de hoek van de deur.

'Mijn reservesnaren!' gil ik in paniek. 'Ze liggen nog thuis. Ik heb ze gisteren juist speciaal klaargelegd, maar toen sms'te Josje om me een hilarische vakantie te wensen. En daarna moest ik weer meteen aan Noah denken en, nou ja, toen ben ik het helemaal vergeten natuurlijk. Oh, ik weet precies waar ze liggen... Ik kan niet zonder, ik moet ze halen.'

'Maar Shayla's vader staat al op ons te wachten. Straks komen we nog te laat.' Evi pakt haar tas weer op.

'Nee echt, het moet,' antwoord ik resoluut.

'Kan je die snaren niet van iemand anders lenen? Als er al een kapot gaat,' stelt Shayla voorzichtig voor.

'Nou lekker dan, je kunt wel merken dat jij geen bassist bent. Het zijn toevallig wel heel speciale snaren. Ik moet ze echt hebben. Je vader kan toch wel even langs mijn huis rijden. Please?'

Smekend kijk ik Shayla aan.

'Komen jullie nog?' roept Marvin van beneden.

Achter elkaar stommelen we de trap af.

'Eh pap,' begint Shayla, 'we hebben een klein probleempje...'

'Oh ja?'

'Nou, eigenlijk is het mijn probleem,' zeg ik. 'Het zit namelijk zo:

m'n reservesnaren liggen nog thuis en ik móét ze echt hebben. Kunnen we niet een ietsepietsie omrijden en ze ophalen?' Zo onschuldig mogelijk kijk ik naar Marvin.

'Vooruit dan maar, ik rijd wel even bij je langs.'

'O, thanx!' In een reflex wil ik hem om de nek vliegen, zoals ik dat altijd bij mijn vader deed. Net op tijd bedenk ik me, maar ik voel dat ik bloos. Marvin lacht en schudt zijn hoofd. Vlug pak ik mijn weekendtas op en zeul die samen met mijn basgitaar naar de auto.

'Wat denken jullie, hebben we nu echt alles. Behalve dan die reservesnaren? Ik heb hier twee koffers, twee weekendtassen, een beautycase, vier slaapzakken, vier kussens, een bas en een gitaar.'

'Ja pap, dat is alles. Schiet nou maar op, wij zitten allang in die auto. Straks komen we te laat.'

Relaxed duwt Marvin de achterklep dicht en stapt in.

'Schuif eens een beetje op, Eef,' moppert Lizzie.

'Dat gaat niet, daar zit Pien en daarnaast een deur.'

'Dan doe je je armen maar naar voren. Of gewoon je benen in je nek.'

'Hallo zeg, wil je dat ik kramp krijg of zo?'

'Meiden…' begint Marvin, 'in zo'n kippenhok hou ik het echt geen anderhalf uur vol.'

Shayla draait zich om. 'Cheer up, we gaan op vakantie!'

Marvin start de auto en volgt geduldig mijn aanwijzingen. 'En dan hier linksaf. Daar bij die rode deur, nummer 34.'

De auto staat nog niet stil of ik gooi het portier al open. Ik val bijna naar buiten en struikel half over de stoeprand. Ongedurig druk ik op de deurbel en duw mijn gezicht tegen de ruit. Even later doet mijn moeder open.

'Iets vergeten, Pien?' vraagt ze weinig verrast.

'M'n reservesnaren,' mompel ik en glip langs haar naar binnen.

Met twee treden tegelijk vlieg ik de trap op. Naast mijn

computer ligt het setje snaren, precies zoals ik het gisteren heb klaargelegd. Vlug gris ik het van mijn bureau en kijk nog een laatste keer mijn kamer rond. Nee, nu ben ik echt niets meer vergeten. Met een gerust hart trek ik de deur achter me dicht.

Buiten staat mijn moeder met Marvin te praten.

'Dag mam.' Ik geef haar een vluchtige kus. 'Tot volgende week.'

Snel kruip ik in de auto en sla het portier met een klap dicht.

'Dag meiden, veel plezier. En wees voorzichtig!'

6

Buiten raast het verkeer, maar in de auto is het opvallend stil. De Bacardi's van gisteren hebben er flink ingehakt. Shayla heeft een enorme zonnebril op. Zo groot, daar kun je de maan wel mee verduisteren. Katerig friemelt ze aan haar krullen. Lizzie staart alleen maar wazig voor zich uit, een Prada op haar neus en earphones in. Evi leunt achterover, half slapend. Zelf hang ik onderuitgezakt tegen de deur, m'n blik op oneindig. Ik denk aan Noah. En aan wat we allemaal in de vakantie samen hadden kunnen doen. Eigenlijk was het te mooi om waar te zijn. Noah en ik, een setje. Ik zucht. Lizzie heeft gelijk, er zijn nog meer coole boys. Maar zij heeft makkelijk praten, zij fladdert zo van de een naar de ander. Onze Miss Flirt. Dat kan ik nooit. Ik bedoel, ik ben nog best heartbroken. Nou ja, een beetje dan toch wel.

'Kijk toch eens wat een prachtig weer. Dat belooft een mooie vakantie te worden,' verbreekt Marvin de stilte. 'Een welverdiende vakantie ook.'

Allevier schrikken we wakker uit onze winterslaap en kijken hem vragend aan.

'Tuurlijk pap,' antwoordt Shayla. 'Na een jaar lang zwoegen hebben we dit zeker verdiend.'

'Dat bedoel ik,' gaat Marvin verder. 'Jullie zijn allevier mooi over. En dat last minute SO viel eigenlijk wel mee, toch?'

'Duh pap, dat ging helemaal niet door.'

'O nee? Hoezo niet?'

'Was een grap van die Wiebo. De nerd van de klas, met dat brilletje en zo.'

'Ja, zelfs die Böhmer kan zoiets niet verzinnen,' lach ik.

'The revenge of the nerd, dus. Heel geestig.'

'Nou, het is maar wat je humor vindt. Ik heb wel de hele middag zitten blokken. Maar weet je pap, je kunt beter niet over school beginnen, dan klappen we dicht. Mag er muziek op?' Zonder het antwoord af te wachten, buigt Shayla naar voren om de radio aan te zetten. Klassiek gejengel vult de auto.

'Mag er wat anders op, please,' kreunt Lizzie. 'Dit hoor ik thuis al de hele dag. Ik háát die hysterische zeikviolen.'

Shayla drukt ongeduldig op de knoppen.

'Stop!' roept Evi als de laatste nummer één hit voorbij komt.

'Zet eens harder, Shayl, dit is vet funky.' Lizzie veert op en maait wild met haar armen.

'Lekker,' zucht Evi, 'dat was mijn linkeroog.'

'Sorry.'

Shayla draait het volume nog verder open en neuriet mee met het refrein. Niet veel later brullen we allemaal mee.

'Hé, is dat niet die nieuwe van Boyz? Je weet wel, de winnaars van vorig jaar.' Ik gebaar naar Shayla dat het nog harder moet.

'Winnaars van wat?' Marvins stem komt nauwelijks boven het geluid uit.

'PopFactory natuurlijk!'

Een halfuurtje later mindert Marvin vaart. Huh, zijn we er nu al? Maar als ik naar buiten kijk, zie ik alleen een tankstation en een groot parkeerterrein met vrachtwagens.

'Wat gaan we doen?'

'Even tanken. Anders haal ik het niet tot Camps. Of willen jullie straks liever lopen?'

'Niet grappig, pap,' moppert Shayla.

'Ik wil er eigenlijk wel effe uit. M'n benen strekken en zo.'

'En ik moet plassen.'

'Me too.'

'Pap, we zijn even naar de wc. We zien je zo wel weer bij de auto.

Oké?'

'Ja, maar ik zet hem dan daar even neer, bij die parkeerplaatsen.'

'Is goed.'

Langzaam slenteren we naar de ingang van het pompstation.

'Waar zijn die wc's, by the way?' vraag ik. 'Ik moet ongelofelijk piesen.'

'Daar, in de hoek, voorbij het koffieapparaat,' wijst Evi. 'Wacht, ik ga met je mee.'

'Ik ook, even opfrissen. Jij Shayl?'

Met zijn vieren lopen we verder. Bij het koffieapparaat hangen een paar mannen. Van die louche types. Als ze ons zien aankomen, kijken ze behoorlijk hitsig. Zijn zeker niks gewend.

'Zo, dat ziet er lekker uit. Kom je da'lijk effe in m'n bestelbussie. Ik heb achterin wel wat ruimte,' grapt een van hen en geeft een geile knipoog. Z'n halflange, vette haar hangt in slierten langs zijn gezicht. Een bierbuik puilt over zijn afgezakte broek.

Shayla blijft staan en valt fel uit. 'Had je wat, viezerik?'

'O, je bent nog mooier als je boos kijkt.'

'Piss off, eikel.'

'Laat ze maar, ze sporen niet,' zeg ik zacht. Snel trek ik Shayla mee.

'Godver, wat denkt die klojo wel. Dat ie Johnny Depp is of zo? Beroepsgriezel,' vloekt Shayla als we het damestoilet in lopen.

Met een diepe zucht doe ik de wc-deur weer open. Lizz en Eef hangen verveeld voor de spiegel.

'Schiet eens op, Shayl,' kreunt Lizz. 'Ik wil weer naar buiten. Dit is nou niet bepaald een frisse plek om te wachten.'

Vanuit Shayla's wc klinkt gemopper. Ze heeft het nog steeds over die vieze vent.

'Nou, wij gaan vast hoor, nog even wat kauwgom kopen,' zegt Lizz. 'Ga je mee, Eef?'

'Goed plan, dan zien we jullie straks wel bij de auto.'

'Oké, tot zo.' Moe staar ik naar mezelf in de spiegel. De wallen

knallen me tegemoet. Djiezz, ben ik dat? Hoe bedoel je, liefdes-
verdriet. En dan die mondhoeken, zo treurig ver naar beneden.
Met twee vingers duw ik ze weer omhoog. Kijk, dat is beter. Wat
er ook gebeurt, altijd blijven lachen, zeggen ze. Toch? Ik moet me
er gewoon overheen zetten. Ik bedoel, het is Noah maar. Toen met
pap was veel erger en daar heb ik me aardig doorheen geknokt.

Eindelijk komt Shayla van de wc. 'Hee, wat sta jij daar in gedachten? En wat zie ik, een smile? Toch een beetje zin in vakantie?'

'Ja, Noah kan de boom in. Let's go.' Ik haak m'n arm door die van
Shayla en lachend slenteren we naar buiten.

'Waar is m'n vader nou gebleven? Zie jij de auto ergens?'

Ik tuur om me heen. Bij de pomp is geen Marvin meer te bekennen. Ook geen Evi en Lizz trouwens. 'Zou hij niet naar het parkeerterrein rijden? Laten we daar maar heen gaan. Die kant op volgens
mij.'

Samen slaan we de hoek om, tussen de muur van het pompstation en een geparkeerde vrachtauto door.

'Weet je Shayl, ik heb er echt zin in. In Camps, bedoel ik.'

'Absolutely, het wordt megagaaf. En let maar op, de hunks liggen
straks aan je voeten.'

'Aan onze voeten zul je bedoelen. En in rijen van tien. Just pick
one…'

'Pien, nu moet je niet doorslaan.'

'Niet doorslaan? Nee hoor, elke dag een andere hottie.'

Shayla ligt bijna dubbel van het lachen. Dan klinkt er ineens een
zware stem achter ons. Voor ik het in de gaten heb, grijpt die ran-
zige vent van daarnet Shayla vast. Met één hand klemt hij haar tegen zijn borst. Z'n andere hand glijdt langs haar arm naar beneden.

'Zo arrogante trut. En jij dacht mij net voor paal te kunnen zetten, met m'n maten erbij. Vuile bitch. Trouwens, volgens mij vind je
dit best lekker.' Hij drukt Shayla nog steviger tegen zich aan.

Ik zie de angst in Shayla's ogen. Ze verstijft helemaal, en ik ook.
Shit, wat moet ik doen?

'Lekker kontje heb je, zo te voelen,' hijgt de man.

Vuilak, denk ik, en dan begin ik te gillen. Zo hard als ik kan. 'Eéééf! Líííizz! Hij heeft Shayl, hij heeft Shayl!' In m'n woede geef ik hem een keiharde trap tegen z'n knie. En nog een, en nog een, en nog een. Net zo lang tot hij Shayla loslaat.

'Kom op, Shayl! Wegwezen!' Snel pak ik haar hand en sleur haar met me mee. Half struikelend rennen we tussen de geparkeerde vrachtauto's door. Ik hoor Shayla snikken en zoekend kijk ik om me heen. Waar is de auto nou? Waar is Marvin? Waar zijn ze in godsnaam gebleven? Ik durf niet om te kijken, straks komt die vent achter ons aan. M'n hart gaat als een razende tekeer, ik voel het kloppen in mijn keel. We moeten weg van de vrachtwagens. Weg, weg, weg! Maar ik zie alleen maar enorme wielen. Het lijkt wel een doolhof. Een doolhof waar ik nooit meer uitkom. Net als ik de paniek voel toeslaan, zie ik Evi en Lizz. Happend naar adem rennen we naar ze toe.

'Wat is er gebeurd?' vraagt Evi. 'My God, Shayla, je staat hele-maal te shaken.'

'Waarom huil je? Wat is er?' Lizz slaat een arm om haar heen.

'Een vent, die engerd van daarnet, weet je wel…' probeer ik zo kalm mogelijk.

'Wat voor engerd?' Opeens staat Marvin naast ons. Hij kijkt me doordringend aan.

'Die vent, die viezerik van daarnet binnen. Hij kwam ons ach-terna en heeft Shayla gegrepen. Die…'

'Welke vent? Waar hebben jullie het over?'

'Hij zat aan m'n borsten en billen,' snikt Shayla overstuur.

'Wát deed ie?' Marvin kijkt vol ongeloof. Om z'n mond ver-schijnt een harde trek. Nog even en hij ontploft.

'Wat denkt die smeerlap wel niet. Ik zal 'm!' Hij balt z'n vuisten. 'Waar is die schoft?'

'Nee, nee pap, laat maar. Het gaat wel weer…'

'Gaat wel weer? Hoezo, het gaat wel weer? Shayl, meis, je staat helemaal te trillen. En je bent niet voor niets in tranen. Hier komt ie niet mee weg.' Marvin zet een paar stappen.

'Daar. Daar bij die vrachtwagens was het,' wijs ik. Razend zie ik hem wegbenen.

'Nee pap, niet doen,' schreeuwt Shayla. 'Ze waren net ook met z'n drieën. Straks slaan ze je nog in elkaar.'

Dan klinkt er getoeter. Een wit bestelbusje rijdt de parkeerplaats af.

'Dat is 'm,' roep ik. 'Kijk, die creep steekt z'n middelvinger naar ons op. Die vuile, gore...'

'Z'n kenteken. Onthoud z'n kenteken!' Marvin rent naar de auto, trekt het dashboardkastje open en pakt iets om op te schrijven.

'24 VL... shit, ik kan het niet goed zien,' zegt Evi. 'In ieder geval iets met Aannemersbedrijf Keijzer. Daar kunnen we toch wel wat mee?'

'Genoteerd. Daar ga ik werk van maken. Nu meteen.' Marvin pakt z'n mobiel. 'Wat is ook alweer dat politienummer. Geen 1-1-2, maar dat andere...'

'Nee pa, alsjeblieft niet. Kan het niet na de vakantie? Straks komen we nog te laat.'

'Ja maar Shayl, hij heeft je verdomme aangerand. Dat kan gewoon niet.'

'Toe nou, pap. Niet nu.

Ik zie de tranen in Shayls ogen. En ze staat nog steeds te shaken.

'Oké, laten we eerst maar even gaan zitten en bijkomen. Dan hebben we het er nog wel over. Zal ik wat te drinken halen? Allemaal een cola light?'

7

In de auto is het oorverdovend stil. Wezenloos staar ik naar buiten. De sfeer is behoorlijk verpest. Wat een klote begin van de vakantie... Eerst al die break-up met Noah en nu Shayl. Ze is verdomme gewoon aangerand door die vuile creep. 'Mag de radio weer aan?' vraag ik zachtjes. Ik móet afleiding hebben.

'Tuurlijk,' antwoordt Marvin en meteen is de ruimte gevuld met muziek.

Langzaam, heel langzaam komen we wat bij.

'Ik ga toch bellen. De politie, bedoel ik,' zegt Marvin niet veel later. 'Ik kan het maar niet van me afzetten. Sorry Shayl, maar het moet.'

Shayla knikt gelaten.

Na een paar minuten hangt Marvin weer op en zucht. 'Ze kunnen dus eigenlijk niets voor ons doen. Want we weten geen kenteken, geen naam... Alleen de kleur van het busje en dat Aannemersbedrijf Keijzer. Te weinig.'

'Maar we kunnen dat bedrijf toch bellen?' Die Evi, doortastend als altijd. 'Zij weten toch wel wie van die mannen nu op de weg is. Ik bedoel, dat houden ze toch bij. Zeggen we gewoon dat hij schade aan onze auto heeft veroorzaakt.'

'Nee, niet doen. Ik wil het er niet meer over hebben.' Shayla klinkt resoluut.

Met z'n hand slaat Marvin hard op het stuur. 'Niks doen is geen optie, Shayl. Straks flikt ie het bij een ander weer.'

'Maar kan het dan niet na Camps? Zo direct komen we nog te laat door die asshole.'

'Wacht even, volgens mij moet ik er hier af.' Marvin tuurt naar de borden en neemt de afslag. 'Zo. Stukken rustiger dan dat gejakker op de snelweg. Mooi ook, zo door de bossen. Toch? En weet je wat, Shayl? Zodra ik thuis ben, ga ik dat bedrijf bellen en het tot op de bodem uitzoeken.'

'Oké dan.'

Buiten zoeven rijen bomen voorbij. Ik probeer het allemaal wat van me af te zetten, maar dat valt niet mee. Steeds weer zie ik die gluiperd voor me. Hoe die met z'n gore handen aan Shayla zat. Hoe die haar overal betastte. Gadver... de rillingen lopen over m'n rug. Come on, Pien, cheer up. Het is verdomme vakantie.

Dan ineens zijn de bomen weg en zit ik vol in de zon. In de verte zie ik een grote loods, en daarachter nog een. Een heleboel eigenlijk. Fijn, zo'n boring industrieterrein.

'Shit,' vloekt Marvin. 'Ik kán hier helemaal niet naar rechts. Ik zit helemaal verkeerd. Die rot TomTom ook. Kom meiden, help effe. We moeten naar de N348.'

'Kunnen we dan niet beter omdraaien?'

'Nee, ik neem liever de volgende rechts. Dat komt wel goe...'

'Hé kijk. Daar, dat gebouw! Aannemersbedrijf Keijzer,' wijst Evi.

'Dat bedrijf van die bestelbus? Oh My God!' Lizz slaat haar hand voor haar mond. 'Moet je daar kijken. Daar, daar!'

'Waar, wat?'

'Dat witte busje, op die parkeerplaats. Dat is 'm vast.'

'Dat meen je niet. Ik bedoel, dat zou wel heel toevallig zijn. En het is zondag, dan is zo'n bedrijf toch wel dicht.'

Langzaam mindert Marvin vaart. Met m'n neus tegen de ruit probeer ik het nummerbord te ontcijferen. '24 VL... Dat is 'm. Dat is 'm,' gil ik.

Marvin gooit zijn stuur naar rechts en trapt op het gas. Met gierende remmen stopt hij naast dat besteling. Voor we het in de gaten hebben, staat ie buiten. Nijdig rukt hij het portier van het busje open. Ik houd het niet meer en stap ook uit. Net als Lizz, Evi en Shayla.

'Waar is die vent?' Marvin gooit het portier weer dicht. Precies op dat moment komt onze creep de hoek om. Zodra hij ons ziet, zet hij het op een lopen.

'Is dat 'm?' roept Marvin.

Shayla en ik knikken.

Marvin spurt achter hem aan en in no time heeft hij die dikke vetzak ingehaald. Met één arm grijpt hij hem vast. Niet zomaar vast, nee, half in de houdgreep.

'Hé, wat mot dat!' schreeuwt de creep. 'Laa me los.'

'Ik dacht het niet. Eerst even wat rechtzetten.'

'Kom op pap, sla 'm verrot. Dat heeft ie verdiend.'

Vals kijkt de gluiperd naar Shayla. 'Jij weer, vuile bitch.'

'Vuile bitch? Wat denk je wel?' Marvin trilt bijna van woede. 'Je hebt het wel over m'n dochter, ja. Daar blijf je met je gore poten van af. Smeerlap!'

'Ze vroeg er zelf om.'

'Ben je helemaal gek geworden. Niemand vraagt daarom. Hoe haal je het in je botte hersens. Ik ga je baas bellen en dit akkefietje krijgt nog een gemeen staartje. Ik heb je kenteken, dus ik kan ook de politie bellen. Jij mag het zeggen.'

Wanhopig probeert de vent los te komen en trapt hard tegen Marvins been. In een reflex grijpt Marvin naar z'n knie. Dan kijkt hij op en haalt keihard uit.

'Wow, dat is een vette rechtse, pap.'

'Had je nog wat? Nee? Moven dan, voor ik écht m'n geduld verlies. Trouwens, ik ben nog niet klaar met je. Je hoort nog van me, reken maar!' Voldaan draait Marvin zich om. 'Kom meiden, show is over. Instappen en wegwezen.'

Na een hobbelig landweggetje, met aan beide kanten huizenhoog maïs, staan we ineens op een open vlakte. Voor ons ligt een oude, sfeervolle boerderij. De bekende rode Campsvlaggen wapperen vrolijk in de wind.

'Hè, hè, we zijn er. At last.' Marvin parkeert de auto op een veldje tegenover de ingang. Een voor een stappen we uit. Nog altijd wat gelaten kijk ik om me heen.

'Boerderij, tentjes, bos... Best aardig, toch?' probeert Evi.

Lizzie aarzelt. 'Nou, ik weet het zo net nog niet. We zitten hier echt in de middle of nowhere. Ik bedoel, zien jullie ergens shops of terrasjes?'

'Lekker belangrijk, Lizz.'

'Lekker belangrijk? Kapot belangrijk! Ik ben wel toe aan wat leuks. En by the way, straks moeten we nog op jacht voor ons eigen eten.'

'Wow, dat zie ik wel zitten, met een speer het bos in. Even een everzwijntje scoren,' knipoog ik. Gelukkig, ik ben weer een beetje in the mood.

Evi kijkt om zich heen. 'Ik vind het hier echt mooi landelijk.'

Met grote stappen loopt Marvin naar de boerderij. 'Komen jullie nog?'

'Moeten we onze tassen niet meenemen?'

'Dat komt straks wel. Anders lopen jullie zo te sjouwen.'

Achter hem aan slenteren we naar binnen. We zijn de deur nog niet door of een van de begeleiders komt naar ons toe.

'Hallo, ik ben Luuk. Welkom bij Music&Dance van Camps.'

Om de beurt stellen we ons voor.

'Ah, de vriendinnenclub.' Luuk vinkt onze namen aan op de deelnemerslijst. 'Kom, dan geef ik snel een rondleiding. Waar is jullie bagage?'

'In de auto.'

'En jullie instrumenten?'

'Ik mocht toch op een drumstel van hier?' vraagt Evi wat timide.

'Tuurlijk, een drumstel zet je niet effe in de achterbak. Maak je geen zorgen, we hebben hier professionele percussie.'

'Ik speel leadgitaar en zij bas.' Lizzie wijst naar mij.

'Goed, dat komt straks wel.' Luuk draait zich om en loopt de hal van de boerderij binnen. 'Rechts is ons kantoortje en dit is de eetzaal. Hier drinken we straks met z'n allen een welkomstcocktail.

Zónder alcohol,' knipoogt hij naar Marvin.

Lizzie zucht, maar Luuk beent al langs de rijen tafels en stoelen door openslaande deuren naar buiten. Op het terras staan fleurige parasols, houten tafels en stoelen, een stenen barbecue, drie enorme loungebanken en een paar vuurkorven. 'Bij mooi weer kunnen we hier lekker buiten zitten, ook 's avonds. Not bad, toch?'

Iets verderop ligt een groot weiland, vol met koepeltentjes in hippe kleuren.

'Dat ziet er vrolijk uit.' Marvin probeert de spanning wat te doorbreken.

Luuk loopt naar twee felrode tentjes, aan de rand van het veld, vlakbij het bos. 'Hier, deze zijn voor jullie.'

Nieuwsgierig rits ik een van de tenten open. Het ding is leeg, op twee slaapmatjes na.

'Goed, ik ga in deze. Meer liefhebbers? Eenmaal, andermaal…?'

'Verkocht,' antwoordt Evi.

'Whatever.' Shayla ritst de andere tent open. Samen met Lizzie inspecteert ze het geheel.

'Tsja… het blijft een tent,' constateert Lizzie.

'Kom, dan laat ik jullie de rest zien.' Luuk loopt gehaast verder en stopt bij een kleiner gebouw. 'Hier zijn de toiletten en douches, links de jongens, rechts de meiden. Althans, dat is de bedoeling… En dit, dit is onze trots.' Hij wijst naar een grote, houten schuur. 'Hier geven we een deel van de workshops. Dans, bijvoorbeeld, en natuurlijk de spetterende slotacts.'

Aan één kant van de schuur staat een enorm podium met een paar rijen stoelen ervoor. In de hoek is een bar. Ik heb nauwelijks tijd om rond te kijken, want Luuk staat alweer buiten. Door een zijdeur stappen we opnieuw de boerderij binnen en komen in een lange gang met links en rechts deuren. Een paar staan open.

'Wat is hier nog allemaal?' vraagt Evi geïnteresseerd.

'Dit was vroeger een enorme koeienstal, maar nu zijn het verschillende ruimtes voor de workshops: songwriting, zang, percussie, jammen, gitaar…'

'Wow...' begin ik. Maar Luuk loopt al naar de volgende deur.

'Hier kunnen jullie straks je bas en gitaar kwijt.'

Ik kijk m'n ogen uit, het is veel groter dan ik dacht. En eerlijk is eerlijk, het ziet er best professioneel uit.

'Om twee uur zie ik jullie wel weer in de eetzaal. Met dus die cocktail. Bye!'

Voor een van ons ook maar iets kan antwoorden, heeft Luuk zich over twee nieuwe gasten ontfermd.

'Zullen we dan maar de bagage halen?' stelt Marvin voor.

8

'Hier dames, aanpakken', Marvin tilt de tassen en koffers uit de auto.

Lizzie trekt het handvat van haar Samsonite uit en rolt het ding soepel achter zich aan. Aan haar arm bungelt haar roze Hello Kitty-beautycase. Evi kan haar enorme weekendtas nauwelijks tillen, zo zwaar is ie. 'Volgende keer neem ik ook iets met wieltjes', hoor ik haar mopperen.

'Wat doen we met die gitaren?' vraagt Marvin.

'Straks?' oppert Lizzie. 'Dat kan ik nu echt niet meer dragen.'

'Laat mij maar.' In één vloeiende beweging slingert Marvin de banden van de twee instrumenten om zijn schouders. 'Ik breng ze wel even naar die ruimte in de boerderij. Zie ik jullie zo weer bij de auto? En dit keer graag zónder enge mannen, right?'

'Is goed.'

Shayla zeult haar loodzware koffer richting tent. 'Misschien had ik toch niet die hele stapel hemdjes mee moeten nemen.'

'Nee joh, het is die ene gele bikini.' Lachend strompelen we achter Lizz aan. Ik hang helemaal scheef door het enorme gewicht van mijn tas.

'Come on girls, niet zo klagen', roept Lizzie.

'Jij hebt makkelijk praten, met dat ding-op-wielen. Wij zijn nog wel even onderweg.'

'Nou, tot vanavond dan.' Met een flinke portie leedvermaak loopt Lizzie verder, tilt haar koffer de tent in en kruipt er zelf achteraan. Driftig begint ze met uitpakken. 'Waar moet ik dit in godsnaam ophangen? Dit bloesje kreukt als een gek.'

'Arme Lizz. Problemas, problemas...' Shayla is intussen ook gearriveerd.

'Vraag een extra tent, als walk-in closet,' roep ik.

'Watte?'

'Een extra te-ent!'

'Waarvoor?'

'Voor die supercoole setjes van je.'

'Haha... humor.' Verhit steekt Lizzie haar hoofd naar buiten. 'Trouwens, het is hier binnen bloedheet. Ik lust die cocktail nu al wel.'

'Ja, zullen we gaan?' stelt Shayla voor. Dan betrekt haar gezicht. 'Shit, helemaal vergeten: m'n vader wacht bij de auto op ons. Kom op, rennen. Uitpakken doen we straks wel.'

Als we de hoek van de boerderij omstormen, zien we Marvin staan. Nonchalant leunt hij tegen de auto, zijn armen losjes over elkaar.

'Hier zijn we alweer!' roept Lizzie opgewekt.

'Hoezo, alweer?' Marvin kijkt provocerend op zijn horloge. 'Nou ja, ik heb toch niks anders te doen. Behalve anderhalf uur terugrijden. Als het meezit, tenminste.'

'Dank je wel voor het brengen,' zegt Evi, beleefd as ever.

'Ja echt, superbedankt,' vallen Lizzie en ik haar bij.

'Nou, heel veel plezier meiden. Maak er wat van. Enne... relax. Dansen, zingen, jongens versieren...'

'Ja-ah, ga nou maar.' Resoluut trekt Shayla het portier open en wijst streng naar de bestuurdersstoel.

Marvin grinnikt, geeft haar een kus en stapt dan gehoorzaam in. 'Veel plezier,' roept hij nog. Dan start hij de auto en verdwijnt tussen de maïsvelden.

Demonstratief zet Shayla haar handen in haar zij. 'Zo, die is weg.'

Samen lopen we de eetzaal binnen, op zoek naar een leeg tafeltje, veilig achterin. Onwennig, maar ook nieuwsgierig, kijken we om ons heen.

'Mm, niet zo veel boys.' Lizzie trekt een pruillip. 'Maar wat er is, is niet verkeerd. Wel wat anders dan vieze gluiperds bij een benzinepomp. Moet je daar zien...'

Ik schud mijn hoofd. Is dat nou het enige waar ze aan kan denken?

Een jongen met een dienblad vol fruity cocktails staat ineens aan ons tafeltje. 'Ook een Campy Coconut?'

'Ja, lekker.' Evi pakt een glas en begint gelijk aan het reepje kokos te knabbelen.

Nippend van onze cocktails wachten we op wat komen gaat.

Een paar begeleiders, in rode Camps-shirts, staan bij de deur. Een van hen klimt op een stoel en maant iedereen tot stilte.

'Hallo Campers! Welkom bij Music&Dance. Kan iedereen mij verstaan?'

Vanuit de zaal klinkt gemompel.

'Goed, dan zal ik ons meteen even voorstellen: ik ben Fons en naast mij staan Vince, Nikki, Fenna, Daan en Luuk. Samen gaan we er een onvergetelijke week van maken.' Fons pauzeert even en kijkt iedereen aan. 'Jullie hebben je al opgegeven voor de workshops. Zo meteen krijgen jullie je rooster. Schrik niet, geen lesrooster, het is vakantie. En daarom gaan we alleen maar leuke dingen doen. De workshops, natuurlijk, maar ook karaoke, een dropping, een barbecue, disco en natuurlijk het spetterende slotfeest.'

'En don't forget, de fabulous jaarmarkt in Oosterkerk. Met het straatorkest, botsautootjes en strakke bodies bij beachvolleybal. Maak me gek!' Als een echte dramaqueen maakt Vince een overdreven wegwerpgebaar.

Iedereen lacht, het ijs is gebroken.

Ik stoot Evi aan. 'Hé, is dat niet die zangcoach van PopFactory? Je weet wel, hoe heet ze ook alweer... Nikki?'

'Shit, je hebt gelijk. Die van die filmpjes, als ze backstage gaan.'

'Zouden we daar echt les van krijgen? We hebben ons allevier opgegeven voor zang...'

'Waanzinnig toch?'

Meteen wil ik het aan Lizzie vertellen, maar die zit druk met Shayla te smoezen. 'Hunk alert op twee uur,' hoor ik haar fluisteren.

Nieuwsgierig buigt Shayla wat naar voren. Precies op dat moment kijkt de jongen in kwestie haar recht in de ogen. Geschrokken deinst ze terug. Als ze haar hoofd, zo onopvallend mogelijk, naar rechts draait en door haar donkere krullen gluurt, vangt ze opnieuw zijn blik. De jongen steekt zijn hand op en weifelend zwaait Shayla terug.

'Je hebt sjans...' lacht Lizzie.

'Sst, niet zo hard.'

Ik gooi er nog een schepje bovenop. 'Wie heeft er sjans?'

'Shayla,' fluistert Lizzie samenzweerderig. 'Met die...'

'Stil nou, straks kijkt iedereen!'

Shayla heeft het nog niet gezegd of Fons richt zich speciaal tot ons. 'Hebben de dames daar achterin nog wat toe te voegen?'

'Uhh...'

'Nou ja...'

'...'

'Die Campy Coconut is echt heel bijzonder,' reageer ik ad rem.

Pien, I love you. Thanks for saving my life, mimet Shayla dankbaar.

Zonder verder aandacht aan ons te besteden, vervolgt Fons zijn verhaal.

Even zijn we stil, maar dan kan ik me niet langer inhouden. 'Psst, Lizz, Shayl, moet je kijken. Die Nikki, van PopFactory. Je weet wel, die zangcoach. Zouden we daar les van krijgen?'

Vol ongeloof staart Shayla naar het groepje begeleiders. 'Oh-My-God!' hapt ze naar adem.

'OH-MY-GOD!' gilt Lizzie er bovenuit.

'Ssst...' Maar het is al te laat.

'Dames, dames, wat een commotie daar achterin,' lacht Fons.

'En we zijn nog niet eens echt begonnen. Maar goed, waar was ik gebleven? O ja, de workshops van vanmiddag. Daar beginnen we zo al mee. So, let's go.'

9

Lizzie kijkt op van haar rooster. 'We hebben zo dance. Cool!'
'Ja, van die Vince. Maak me gek,' imiteer ik.
'Ik kan haast niet wachten!' Shayla beweegt soepel haar heupen.
'En jij, Eef?'
'Ik, uh, ik heb straks een workshop songwriting.'
Stomverbaasd kijken Lizzie, Shayl en ik haar aan.
'Ik bedoel… dansen is nou niet echt mijn ding.' Evi staart on-
zeker naar de tafel, haar vingers pulken aan het parasolletje van
de cocktail.
'We hadden toch afgesproken dat we alles met z'n vieren zou-
den doen?' briest Lizzie.
Evi's gezicht kleurt langzaam rood, in haar nek verschijnen
vlekken. 'Ja, maar ik vind songteksten schrijven ook leuk.
Misschien wel leuker,' verdedigt ze zich.
'So what?' Uitdagend slaat Lizzie haar armen over elkaar.
'Nou, wat ik al zei, dansen is niks voor mij. Dat weten jullie ook
wel. Toen ik die workshop songwriting zag, dacht ik meteen: dát
wil ik.'
Lizzie kijkt verongelijkt naar Shayla en mij. 'Wat vinden jullie
daar nou van?'
Ik haal mijn schouders op. 'Als Evi dat nou leuker vin…'
'En onze afspraak dan, alles samen doen?'
'Kom op meiden, relax,' probeert Shayla de boel te sussen. 'Ik
bedoel, let's face it: Evi houdt nou eenmaal van schrijven. Elke
keer als wij dans hebben, doet zij gewoon haar songwriting-ding.
Prima, toch?'

'Whatever,' zucht Lizzie.

'Kom, we moeten ons omkleden. Over een kwartier begint het al.' Shayla trekt mij en Lizzie met zich mee.

'Evi, je helpt ons toch nog wel met onze outfit?'

'Ja gezellie, Eef.'

'Tuurlijk.' Zichtbaar opgelucht haakt Evi haar arm door die van mij. Gelukkig, niet al de eerste dag ruzie, denk ik.

In de tent staat alles nog ingepakt. Shayla, Lizzie en ik duiken naar binnen. De zon brandt, het is bloedheet. In no time sta ik weer buiten in een afgeknipte joggingbroek, shirtje en gympen.

'Wat doe jij aan?' Shayla graait in haar koffer.

'M'n zwarte jazzpant, strak topje, sneakers en mijn glittersjaaltje,' somt Lizzie op. 'Shit, megaklein hier binnen. Ik kan me alleen maar liggend omkleden. Wat een geworstel.'

'Schiet nou maar op, fashionista.'

Even later kruipt Lizzie met een rood hoofd naar buiten. De zweetdruppels staan op haar bovenlip, maar nog geen seconde later showt ze als een professional op de catwalk haar outfit. Hoe doet ze dat in godsnaam?

'En?' vraagt Lizzie.

Evi knikt goedkeurend, ze is duidelijk onder de indruk. 'Vet.'

Ik twijfel. 'Is het niet een beetje over the top? Ik bedoel, we gaan voor de eerste keer trainen. Straks hang je je nog op aan dat sjaaltje.'

'Nee joh, alles draait om de eerste indruk.'

'Ja duh, bij Vince zeker!'

'Juist bij Vince. De beste modeontwerpers zijn ook allemaal vet gay.'

'Whatever...' Ik schud mijn hoofd.

Shayla – hip hempje, capribroek, felgekleurde bandana – ritst de tent dicht. 'Nou, ik ben er klaar voor. Let's dance.'

Schijnbaar nonchalant, maar toch een beetje schuchter, lopen we de schuur binnen.

'Hi girls.' Vince wenkt ons. 'Jullie komen ook voor dance?'

We knikken en lopen verder, naar het podium. Daar staan nog vijf meiden.

'Eens kijken...' Vince checkt de namen en vinkt af. 'Oké, we zijn compleet. Hebben jullie er zin in?' Automatisch wiegt hij met z'n heupen. 'Nou, ik ben dus Vince, maar dat wisten jullie al. Ik kon geloof ik eerder dansen dan lopen. Anyway, ik geef nu master-classes dance, maar de afgelopen jaren zat ik in allerlei shows en musicals in The States. Grease, Dirty Dancing, met Madonna in Las Vegas, Lady Gaga in New York... Dat waren nog eens tijden. Maar ja, je kent het hè, toen werd ik verliefd. Tot over mijn oren. En laat mijn darling sweetie nou uitgerekend in Nederland wonen. Je moet je hart nou eenmaal volgen, dus nu zit ik alweer een tijdje in Amsterdam. Deze zomer werk ik voor Camps. Maar genoeg over mij, wie zijn jullie?'

Vince wijst naar Lizzie.

'Eh, ik ben Lizzie, en ik eh... Wat moet ik eigenlijk vertellen?'

'Wie je bent, hoe oud je bent, waar je woont, je vriendje, of je vaker danst,' souffleer ik.

'Ja, ik ben dus Lizzie, eh... ik ben hier samen met mijn drie beste vriendinnen. Hou erg van muziek, speel ook leadgitaar. En, eh, ik ben natuurlijk gek op dansen. Vroeger moest ik van mijn moeder op ballet. Van dat klassieke, met zo'n rare tutu, maar nu zit ik gelukkig op streetdance.'

Vince knikt. 'En jij?'

'Nou, ik ben Shayla, een van die beste vriendinnen van Lizzie...'

Een voor een stellen we ons voor. Er zitten wel een paar leuke meiden bij, Maartje en Tessa bijvoorbeeld. Lekker relaxed en spontaan. En o ja, ook ene Ilona. Zo'n typisch Goois meisje, blond en zo te zien mega-arrogant.

Vince luistert aandachtig en gaat dan op de rand van het podium zitten. 'Laten we eerst eens kijken wat jullie allemaal al kunnen. No worries, het is geen auditie. Gewoon lekker bewegen op een coole beat. Experimenteer, laat je gaan, don't be afraid... Kan ik gelijk zien hoe ver jullie zijn. Right, dat podium op. Move that body, girls!'

Vince loopt naar de laptop en laat een swingend nummer door de schuur schallen.

Eerst wat onwennig, maar steeds enthousiaster ga ik op in de muziek. Lizzie is helemaal in haar element en wuift theatraal met haar sjaaltje door de lucht. 'Funky nummer, hè! Enne, best tof, die Vince.'

'Absoluut, maar wel un-be-lie-va-ble gay,' lacht Shayla.

'Ah joh, maakt het uit.' Onverstoorbaar dans ik verder.

Vince loopt rustig langs het podium en observeert onze bewegingen nauwgezet. Als het nummer bijna is afgelopen, zet hij de muziek uit. 'Not bad toppertjes, zag er superdepuper uit. Dat belooft wat voor het slotfeest!'

Uitgelaten lopen we naar buiten. Precies op dat moment zie ik Evi de boerderij uit komen.

'Hé Eef, hoe was het?' Enthousiast storm ik op haar af. In m'n haast struikel ik bijna over mijn eigen benen.

Evi straalt en geeft me een hug. 'Ik ben echt zo blij dat ik songwriting gekozen heb. Het was zo vet.'

'Ja, onze dansles ook. Die Vince...'

'Zullen we nog even wat drinken en dan bijkletsen?' onderbreekt Shayla. 'Ik heb onwijze dorst gekregen van dat dansen. Het leek wel een sauna in die schuur. Nog even en ik stort in.' Smachtend kijkt ze naar het terras.

'Goed plan.'

'No way, ik meur een uur in de wind.' Vol afgrijzen ruikt Lizzie onder haar oksels. 'Ik moet echt eerst douchen. Ik lijk wel een stinkdier.'

'Welnee, we zitten toch buiten. Niemand die het merkt.'

'Wacht, dan haal ik even mijn Pink Passion-deo uit de tent.'

'Lizz, get a life,' roep ik. 'Het is bloody hot. Iedereen loopt te zweten. En bovendien, zie jij loslopende hunks? Ik niet, dus het geeft niks als je een beetje ranzig ruikt.'

'Ranzig, ik? No way.' En wég is Lizzie.

Ik haak mijn armen door die van Shayla en Evi. 'Kom, dan gaan wij alvast.'

'Zal ik even wat kouds halen?' Evi loopt naar binnen, naar de koeling.

Niet veel later zitten we onderuitgezakt op het terras. Shayla heeft al een halve liter water naar binnen geklokt en begint aan haar tweede blikje energydrink. Evi en ik nippen van een ijskoude Icetea.

'Djiezz,' begint Shayla. 'Nu ben ik toch een halve latino, dansen zit in mijn bloed, maar die les was waanzinnig pittig.'

'Eens,' beaam ik, 'maar ook te gek.'

'Ja, die Vince is zó hilarisch.'

'En professioneel. De energie spat er vanaf. En wees eerlijk: ik ben niet zo los in m'n heupen als jij Shayl, maar Vince heeft mijn zelfvertrouwen een vette boost gegeven. Voor het eerst heb ik het gevoel dat ik het kan.'

'Dat heb ik ook bij songwriting.' Dromerig veegt Evi een pluk haar uit haar gezicht. 'Fenna, dat is de docent, wil dat je gewoon je ideeën spuit. Rap, ballads, meezingers, maakt niet uit, om er later muziek onder te zetten. Weet je wat ze zelf altijd doet? Ze neemt gewoon de instrumentale versie van een nummer en zegt dan hardop wat er in haar opkomt. De goede lines zet ze als track op papier. Freestyle, noemt ze dat.'

'Oh My God, dát klinkt ingewikkeld.' Lizzie ploft op de houten bank, gehuld in een enorme wolk Pink Passion.

'Valt best mee, hoor. Zolang je maar schrijft over dingen die bij je passen en vertrouwt op je gevoel,' gaat Evi gepassioneerd verder. 'Niet lullen maar dóen, is Fenna's motto. Met pen, papier, rhythm en rhyme kom je al een heel eind. Voor je het weet heb je een sterke tekst.'

'Klinkt echt als jouw ding, Eef, dus vooruit dan maar, het is je vergeven dat je niet met ons mee danst,' ratelt Lizzie. 'Maar serieus, ik ben blij voor je. Echt waar. Al heb ik zelf liever dance.'

Dan, eindelijk, neemt Lizzie een slok van haar cola.

'O heerlijk, douchen. At last.' Lizzie loopt met haar beauty-case en XXL-badlaken naar het toiletgebouw.

'Wacht,' roep ik. 'Waar zijn nou weer mijn Havaianas? Ik had ze net toch gepakt?' Ongedurig gooi ik mijn handdoek en toilettas op de grond en duik de tent weer in.

'Pien, schiet nou op. Ik wil douchen,' moppert Lizzie. 'Die Pink Passion blijft het niet eeuwig doen. Weet je wat, ik ga alvast.'

'Nee wacht, nog héél even.' Als een bezetene haal ik de tent overhoop. 'Ik zie ze geloof ik al. Shit, waar is die andere nou?'

'Ik ga nu echt, hoor. Straks hebben Evi en Shayla al het warme water opgemaakt. Dat ga ik niet trekken.'

'Ik kom al!' Met één teenslipper in mijn hand kruip ik de tent uit.

'Djiezz, Pien, wát een puinhoop. Is er soms een bom ontploft daarbinnen?'

'Ik ben nu eenmaal een rommelkont. Weet je wat, ik doe m'n gympen wel aan. Zo, we kunnen.'

'Gaan jullie nu pas?' Met natte haren en een handdoek om komt Evi alweer aanlopen.

'Ach ja, je kent me. Ik was éven wat kwijt.'

Lizzie luistert al niet meer en loopt stug door naar de dou-ches. Ik hobbel achter haar aan. 'Later!'

Evi zit voor de tent in een boek te bladeren. Ze gaat er zó in op, dat ze Lizzie en mij niet hoort aankomen.

'Wat lees je?' Nieuwsgierig laat ik me naast haar op de grond zakken.

'Een boek over songwriting. Heb ik van Fenna gekregen. Echt supertof. Gaan we gebruiken in de worksh...'

'Doe je dát aan vanavond,' kapt Lizzie Evi bot af.

Verbaasd kijkt Evi naar haar kleren. 'Hoezo, wat is hier mis mee dan?'

'Nou, niet bepaald sexy. En só last year. Als je wilt scoren moet je toch echt iets anders aan. Ik bedoel, het is de hotste zomer ever! Doe lekker iets bloots.'

Shayla steekt haar hand uit de tent. 'Ja hier, mijn gele hemdje!'

'Nee joh, dat staat me helemaal niet. Jou wel, jij bent mooi bruin, maar ik ben spierwit. En by the way, ik krijg alleen maar meer sproeten in de zon,' moppert Evi.

'Wacht, ik weet wat.' Lizzie wurmt zich langs Shayla naar binnen en haalt een glanzend, olijfgroen topje tevoorschijn. 'Heb je een lichte broek bij je?'

'Ja, maar die maakt misschien wel een beetje dik...' Evi slaat haar ogen neer.

'Onzin, het staat je vast fabulous. Probeer het nou maar gewoon.'

'Oké.' Zuchtend, en met lichte tegenzin, legt Evi haar boek weg en verdwijnt in de tent.

'Heb je het al aan?' Lizzie kan niet wachten.

'Nee, ik kan m'n broek niet vinden door die rotzooi van Pien.'

'Wacht maar, ik help wel even, kan ik me gelijk omkleden. En o ja, mijn ene Havaiana zoeken,' giechel ik.

Even later staat Evi verlegen voor de tent.

Lizzie slaat haar hand voor haar mond. 'Oh My God, Eef. Wat een metamorfose. Ik ben sprakeloos...'

'Superdepuper,' doet Shayla Vince na.

'Wow...' zeg ik, terwijl ik mijn teenslippers aandoe.

'Ja echt?'

'Geloof mij maar,' gaat Lizzie verder, 'het kleurt perfect bij je rode haar. Nog even je krullen stylen en dan ben je een echte glamour girl. Too hot to handle!'

'Eh… thanx,' bloost Evi. Ze weet nooit zo goed hoe ze op complimenten moet reageren.

'Oké, ladies, even opschieten. Ik rammel.' Shayla staat al in de startblokken.

'Ja hallo, en ik dan?' antwoordt Lizzie verontwaardigd. 'Ik heb alleen nog maar m'n bh en hipster aan. Nog effe geduld. Ben zo klaar.'

'Jij, zo klaar? Forget it.' Shayla schiet in de lach.

'Nee echt, ik hou het simpel dit keer. Gewoon lekker casual en laid-back. Eén minuutje nog. I promise.'

11

'Mm, lekker!' Op de grote, houten tafel in de eetzaal staan eindeloos veel pasta- en tomatensalades, gekruide drumsticks, stukjes gevulde wrap, Turkse pizza's, pittige gehaktballetjes, vegaspiesjes, olijven, saté... En massa's stokbrood met kruidenboter.

Smachtend kijkt Evi naar de schalen met eten en schept een flinke lepel pasta op haar bord.

'Not bad,' stel ik tevreden vast.

'O ja, nog één ding,' roept Fons boven het geroezemoes uit. 'Het is wel de bedoeling dat je vanavond naast zoveel mogelijk nieuwe mensen gaat zitten. Dus niet aan je eigen groepje blijven klitten. Gewoon lekker mixen, dan leer je elkaar het snelst kennen. Veel plezier en eet ze!'

'O... moeten we met al die anderen gaan socializen? Bedoelt ie dat?' Evi's hand blijft van schrik boven de schaal met drumsticks hangen. 'Niet mijn idee van een relaxte, eerste avond. Ik blijf het liefst gezellig bij jullie.'

'Sorry, no option,' concludeert Shayla nuchter, terwijl ze een enorme berg balletjes op haar bord mikt.

'Nou, ik heb al iemand gespot met wie ik wel een vegaspiesje wil delen.' Lizzie buigt zich over Evi's schouder, op zoek naar nog meer low calorie food. 'Je weet wel, die hunk van daarnet, tijdens die cocktail en zo.'

'Waar?' Met een ruk draait Shayla zich om. De balletjes rollen bijna van haar bord.

'Take it easy, Shayl, we zijn hier toch ook voor de boys. Dan moet je ze wel stalken natuurlijk.'

'Djiezz Lizz, jij maakt er gelijk een soort speeddaten van,' pest ik.

'Ik ben weg. Have fun!' Lizzie haast zich naar een tafel op het terras, waar die lange, donkere jongen van Shayla net gaat zitten.

'Nou, dan ga ik ook maar,' zucht Evi. 'Voor wie het weten wil, ik zit daar achterin.'

'Ach, lekker belangrijk, dat mixen. Weet je, Eef, ik blijf gezellig bij je.'

Dankbaar kijkt Evi mij aan. 'Kom je ook mee, Shayl?'

Maar die is allang verdwenen, Lizzie achterna.

'Kijk, dat vind ík nou een toffe gozer,' fluistert Evi. 'Djiezz, ik lijk Lizz wel.'

Ik speur de tafel af. 'Wie?'

'Die met dat blauwe shirt.'

'Ja duh, ik zie er wel drie met een blauw shirt.'

'Die blonde, schuin tegenover mij… Niet zo kijken!'

Ongegeneerd staar ik naar de jongen. Dan, ineens, voel ik een heftige kriebel in mijn buik. Doe niet zo achterlijk, Pien. Je bent nog hartstikke heartbroken. Van schrik sla ik mijn ogen neer.

'Hé hallo…' klinkt dan een zwoele stem.

Betrapt kijk ik op. Het is die blonde jongen. 'Uh, heb je het tegen mij,' stamel ik en glimlach schaapachtig.

'Ja, en by the way, ik ben Tom. En jij?'

'P-pien…' Totaal overrompeld kijk ik naar Evi.

'Kijk eens aan, twéé mooie meiden,' reageert Tom. 'Pien en…?'

'Evi.'

'Pien en Evi, jullie zitten precies aan de goede tafel. Hebben jullie trouwens al wat te drinken? Wacht, ik haal wel wat.' Vragend kijkt hij ons aan.

'Een cola, graag,' zegt Evi.

'En jij?'

'Uh, doe maar. Nee, ik bedoel… lekker, of… liever een spa, nee… toch maar een cola,' hakkel ik onsamenhangend.

Zelfverzekerd loopt Tom naar het buffet.

Evi en ik schieten tegelijk in de lach. 'Lizzie zou ons eens moeten zien!'

'Nee, maar effe serieus. Hij is echt stoer. Die Fons kan het schudden met zijn mixen. Ik ga hier vanavond niet meer weg.'

Gretig zet Evi haar tanden in een drumstick. 'I oo nie.'

'Watte?' Ik kijk ondertussen of ik Tom weer zie aankomen.

'O, Pien, volgens mij vind je hem vet. Nee, meer, vet slick, bedoel ik.'

'Doe effe normaal, Eef.'

'Nou ja, zoals je net naar hem keek en zo. Volgens mij is de love wel een beetje in the air.'

'Tss.' Achteloos friemel ik aan mijn oorbel. Ander onderwerp graag.

Twee volle borden later, zie ik vanuit mijn ooghoek Lizzie en Shayla binnenstuiven. Ze zijn duidelijk op zoek naar ons. Ik steek mijn hand op en zwaai.

'Daar, daar achterin zitten ze,' gilt Shayla enthousiast.

Lizzie is in een paar passen bij onze tafel. 'Wedden dat jullie hier al de hele avond zitten. Lekker verstopt achterin. Stelletje schijterds. Nou, wij hebben ondertussen aardig wat leuke boys ontmoet. Dat komt wel goed deze vakantie.'

'Trouwens, gaan jullie mee?' Shayla staat zichtbaar te popelen.

'Mee? Hoezo? Waarheen?'

'Nou, gewoon, nog wat drinken met een stel. Met Milan enzo.'

'Milan?'

'Ja, die hunk van Shayl,' knipoogt Lizzie veelbetekenend.

'Eh, eigenlijk…' aarzel ik.

'Djiezz, jullie hebben het halve buffet geplunderd, dan ben je toch wel klaar met eten? Come on, effe actie.' Shayla hupt ongeduldig heen en weer.

'Uh ja, maar, ik…' Een fractie van een seconde kijk ik naar Tom.

'Cool, waar is het?' komt hij tussenbeide.

'Verderop, daar bij de bosrand.' Shayla steekt haar arm door die van Lizzie en trekt haar mee naar buiten. 'Wij gaan alvast. See you!'

Even is het stil aan tafel. Ik weet niet wat ik moet zeggen. Mijn blik glijdt van Tom naar Evi. En dan weer naar Tom. Djiezz, hij is echt dope.

'Nou, ik lust wel een biertje, daar bij die bosrand,' zegt hij dan. 'En jullie?'

'Why not.' Ik probeer zo onverschillig mogelijk te klinken.

Tom schuift zijn stoel naar achteren. 'Nou, waar wachten we nog op?'

12

'Joehoe, hier!' joelt Lizzie en zwaait wild met haar armen.

Bij de bosrand zitten al een stuk of tien jongens en meiden in het gras.

Snel ploft Evi naast Lizzie neer. 'Pien, kom!'

Ik kijk weifelend om me heen en zie Tom naar een jongen toe-lopen. Net als hij wil gaan zitten, kruisen onze blikken elkaar. Tom lacht en knipoogt. Even ben ik de kluts kwijt en voel ik weer die kriebel in mijn buik. Dromerig blijf ik staan.

'Hallo, contact. Milan hier. Biertje misschien? Of liever iets sterkers?'

Voor me staat ineens die hunk van Shayla met een paar blikjes te zwaaien. In één klap ben ik terug op aarde. 'Hoe komen jullie daaraan? Ik dacht...'

'...dat dat niet mocht? Er mag zoveel niet. En wees eerlijk, wat is nou een kamp zonder booze?'

'Doe mij maar een Passoã. Hebben jullie dat?' Lizzies ogen be-ginnen te glimmen.

'Hé ouwe, hebben we dat?' roept Milan naar een andere jongen.

'Tuurlijk, we hebben heel wat mixjes naar binnen gesneakt.'

'Nou, doe mij er dan ook maar eentje.'

'Maak er maar drie van.'

'Nee, vier,' besluit Shayla.

Milan knikt en verdwijnt in de struiken. Even later komt hij terug met vier blikjes.

'Lekker geheimzinnig allemaal, daar in die struiken,' zegt Evi.

'Wat denk je dan, dat we dit open en bloot hier neerleggen,

met een schijnwerper erop? Straks komt die Fonsepons even gezellig langs. Nou, dan ben ik mooi het bokje. Beetje klote, om al meteen weer naar huis te moeten. Toch?' Lachend gaat Milan naast Shayla zitten.

'Ja... daar zit wat in.'

Lizzie trekt haar blikje open en neemt een enorme slok. 'Pien, wat denk je, ga je vanavond nog zitten? Ik word een beetje nerveus van je.'

Langzaam laat ik me op de grond zakken. Ik doe alsof ik zomaar wat om me heen kijk, maar ondertussen probeer ik Toms blik te vangen. Die knipoog deed me meer dan ik had verwacht. En let's face it, hij is echt een stuk. Dat halflange, zongebleekte haar dat nonchalant voor z'n gezicht hangt. En die knalblauwe ogen, die superlange wimpers... Ik word er helemaal crazy van. Maar Tom ziet me niet. Met een biertje in zijn hand, lacht hij om iets wat de jongen naast hem vertelt.

'Geweldig spul, die Passoã. Zal ik nog wat halen?' Lizzie staat al.

'Huh?' Verdwaasd kijk ik om me heen.

'Hallo, Lizzie hier, je vriendin. Are we connected? Pien, waar zit je met je gedachten?'

Vanuit m'n ooghoek zie ik Evi naar me kijken. Het is duidelijk, ze heeft me door. Dat ik helemaal into Tom aan het raken ben, m'n ogen niet van hem af kan houden en zo. Het liefst wil ik wat tegen haar zeggen, maar wijselijk houd ik mijn mond.

Gierend van de lach rolt Lizzie over Shayla heen. Een scheut Passoã klotst uit haar zoveelste blikje. 'Kappen nou, Shayl, ik hou het niet meer. Ik pies zowat in mijn broek.'

'Ja, maar luister nou. Dit geloof je gewoon niet, want toen zei hij...'

De rest van de woorden gaat verloren in het onsamenhangende gehinnik van Lizzie. 'Hi-la-risch!'

'Hou op, schei uit!' hikt Evi, terwijl ze tegen me aanhangt.

Net als Shayla verder wil vertellen, sist Milan: 'Shit, daar heb je Fons. Hier met die blikjes!' Razendsnel springt hij overeind en houdt een plastic zak open. Dan rent hij naar de bosrand en dumpt de tas met blikjes in de struiken. Net op tijd is hij terug.

'Zo, het lijkt hier zomaar gezellig,' constateert Fons droog. 'Hebben jullie trouwens enig benul van de tijd?'

'Mwah... Het is toch vakantie?'

'En in het donker is het dubbel zo cool.'

'Niet zo bijdehand, Campers. Morgenochtend verwacht ik jullie wel fris en fruitig aan het ontbijt.' Quasi streng kijkt Fons de groep rond en loopt dan weg. Nog één keer draait hij zich om. 'En met morgenochtend bedoel ik half negen sharp, geen minuut later.'

'Humorllloze eikelll,' fluistert Lizzie met dubbele tong. 'Zeker nooit jong geweest.'

Morrend maakt iedereen aanstalten om naar z'n tent te gaan. Ik hijs Evi overeind, terwijl mijn ogen Tom zoeken. Gespannen tuur ik de kring rond, maar ik zie hem niet meer. Kaa-uuu-tee, waar is ie nou? Daar! Daar loopt hij, op het grasveld. Kijk nou om, kijk nou om. Eén keertje maar, please. Maar langzaam verdwijnt Tom tussen de tenten.

Giechelend trekt Lizzie zich aan Shayla's jeans omhoog.

'Hé Lizz, effe relaxed. Ik zeg net gezellig je leuke vriendin gedag.' Milan lacht naar Shayla.

'Ja, doe effe normaal, je trekt m'n broek zowat van m'n kont.'

'Wat boeit het,' hikt Lizzie. 'Het is pikkedonker, en die broek moet toch zo uit. En by the way... je... hebt... van... die ... mooie... cho-co-llla-de-brui-ne... billen!' Gierend hangt Lizzie om Shayla's nek.

'Oh My God, funny hoor. Ik kom niet meer bij.'

'Maar het is toch ook zo? Shayl, je bent m'n liefste, mooiste, knapste...'

Geïrriteerd duwt Shayla Lizzie van zich af en zwaait nog even naar Milan. Dan loopt ze richting toiletgebouw. 'Let's move ladies.'

'Ja, effe opschieten,' mopper ik. 'Ik moet onwijs piesen.'

Lizzie zwalkt achter ons aan. 'Oh, wat hou ik toch van jullie, mijn allerliefste, schattigste, supers...'

Dan zie ik haar ineens wit wegtrekken. 'Hé Lizz, gaat het wel?' vraag ik bezorgd.

'Mwah, voel me ineens heel erg klote. Alles draait, zo weird.'

'Moet je anders niet even gaan zitten of zo?'

'Neuh, ik moet...'

'Waar ga je heen, Lizz? Het toiletgebouw is die kant op.'

'Lukt niet.' Zonder nog een woord te zeggen, wankelt ze weg, haar hand voor haar mond. 'Bwah...'

'Nee hè, Lizzie hangt in de struiken,' waarschuw ik Shayla en Evi.

'Get-ver, staat ze echt te kotsen?'

'Shit, wat nu?' Evi kijkt ons vragend aan.

'Nou, eerst wachten tot die zooi eruit is. Dan slepen we haar daarna wel naar het toiletgebouw. Even een plens water in haar gezicht. Knapt ze vast van op.'

Asgrauw en met een gezicht als een oorwurm, zit Lizzie aan het ontbijt. Moeizaam werkt ze een droog crackertje naar binnen.

'Arme Lizz, gaat het wel een beetje?' vraagt Evi belangstellend. 'Je was gisteravond flink van 't padje af.'

'Mwah, ik voel me behoorlijk beroerd. Ik zie eruit als een pak uitgelopen vla.' Lizzie hangt onderuitgezakt in haar stoel en slaakt een diepe zucht. 'Het bleef vannacht maar draaien in m'n kop. Alsof ik in m'n slaapzak in een zweefmolen zat die maar niet wilde stoppen. Wat een nightmare.'

'Klinkt eerder als een vette kater,' stelt Shayla nuchter vast. 'Verbaast me trouwens niks. En wat was jij op het laatst irri, zeg. Je hing als een spast in m'n nek te hijgen.'

'Nou, bij deze dan: sorry. Maar je drinkt die Passoã als limonade. Bij dat spul merk je gewoon niet dat er alcohol inzit. Ja, als je op dat dunne slaapmatje ligt, dan wel. Ik drink echt nooit meer... geen druppel.' Lizzie gooit een paracetamolletje achter in haar keel en klokt er een glas water achteraan. 'Eerst die klotenacht deleten uit mijn brain.'

'Mag je wel opschieten. We hebben zo die workshop zang.'

'Oh My God, ik moet er niet aan denken. Hoe kom ik de dag door met zo'n bonkend hoofd? En zul je zien, wordt het vandaag weer bloody hot.' Kreunend drukt Lizzie nog maar een pilletje uit de strip.

'Nou ja, zolang je niet bukt, moet het lukken. Toch? Ah, m'n allerliefste BFF'je...' Pesterig gaat Shayla om Lizzies nek hangen, maar die is te duf om te reageren.

'Allemaal wat drinken? Jij kunt vast wel een koffieshot gebruiken, Lizz.' Ik sta op om wat te halen en, wie weet, Tom te spotten. Ik heb hem nog niet gezien vanochtend.

'Neuh, doe mij maar een bak slappe thee...'

'Mij ook, ik moet nog even niet aan koffie denken.'

'Geef de jam eens door. Of nee, doe maar hagelslag.'

'En de melk. Ik heb ongelofelijke dorst.'

Langzaam druppelen de laatste Campers binnen. Half negen heeft natuurlijk niemand gehaald.

Evi kijkt op haar mobiel. 'Shit, het is al kwart voor tien geweest. Over een paar minuten begint zang!'

'Ah nee, ik ben zo schor als een krekel.'

'Maakt niet uit, Lizz. Even wat toonladdertjes en je klinkt weer als een nachtegaal.'

Tergend langzaam hijst Lizzie zich uit haar stoel. 'Nog effe naar de wc. Kan ik meteen m'n lippen stiften.'

'Goed plan.' Shayla haakt haar arm door die van Lizzie en neemt haar mee op sleeptouw.

Evi en ik staan ook op. 'We zien jullie zo wel.'

In het zanglokaal is nog niemand. Alleen Nikki, die net de laatste microfoon aansluit.

'H-hallo...' Ik ben onder de indruk nu ik oog in oog met dé zangcoach van PopFactory sta.

'Hoi meiden, kom binnen.'

Evi trekt een stoel naar zich toe en gaat zitten, ik leun tegen een tafel. Ik heb er mega veel zin in. Dit is tenslotte dezelfde Nikki die ook Yannick en Chiara begeleidt. Nou, dan ben je wel een professional. Als Josje eens wist dat we daar les van krijgen! Ik moet haar straks meteen sms'en.

Als Lizzie en Shayla eindelijk binnen komen, zit het lokaal al aardig vol. Enthousiast stoot ik ze aan. 'Zien jullie dat?'

'Wat?' Traag beweegt Lizzie haar hoofd. Met een wazige blik kijkt ze om zich heen.

'Nikki natuurlijk! We hebben écht les van haar!'

'Oh-My-God! Uitgerekend vandaag.' Lizzie baalt overduidelijk.

Precies op dat moment doet Nikki de deur dicht. 'Zo, goedemorgen allemaal. Volgens mij zijn we compleet. Wat verwachten jullie van deze workshop?'

'Zingen, wat anders?' klinkt het kattig achter me.

Geïrriteerd draai ik me om. Nee hè, weer die Ilona. Die irritrut van danceclass. Arrogant gooit ze haar hoofd in haar nek, terwijl ze vol minachting naar ons kijkt.

'Shit, heb je haar weer,' fluister ik tegen Shayla. 'Die kaktrut uit Bla-Bla-Blaricum deed ook al zo arrogant tegen Vince. Weet je wel.'

'O ja, onze so called dancing queen.'

'Even centraal graag,' zegt Nikki, 'En jij bent?'

'Ilona.'

'Oké Ilona,' gaat Nikki onverstoorbaar verder. 'Luister goed: zang is een brede discipline. Solo zingen, backing vocals, a capella... waar je ook voor kiest, een goede ademhaling en houding zijn een must om veel kracht in je stem te krijgen. Eigenlijk is dat de basis van alles. Maar hoe verbeter je die ademhaling? En hoe gebruik je je stem bij verschillende muziekstijlen? En zeker zo belangrijk: welke stijl past bij jou? Daar gaan we deze week hard aan werken.'

'Cool,' zegt Shayla.

'Cool? Pff, vertel eens iets nieuws,' moppert Ilona zelfingenomen.

'Djiezz, doe effe normaal jij. Als je het allemaal zo goed weet, wat doe je hier dan? Dit is wel Nikki die de tijd voor jou neemt.' Lizzie is zó pissed, dat ze haar bonkende hoofd in één klap is vergeten.

'Om je publiek te raken, moet je je helemaal in het nummer inleven,' gaat Nikki vol passie verder. 'Podiumpresentatie, daar draait het om. Trouwens, we beginnen altijd even met een warming-up...'

'Een warming-up? Zit ik wel bij de goede workshop? Dit is toch zang en geen dans?' Triomfantelijk kijkt Ilona om zich heen.

'Wat verwacht je nou, applaus?' Lizzie staat op ontploffen.

Nikki glimlacht alleen maar. 'Misschien realiseer je je onvoldoende dat je je stembanden moet opwarmen voor je gaat zingen. Altijd eerst de spieren los, bij wat voor sport dan ook. En daarna doen we een bereiktest.'

'Een watte?'

'Een bereiktest. Kijken hoe hoog of hoe laag je kunt zingen. Zijn jullie er klaar voor?'

We knikken. Een meisje loopt meteen naar een microfoon.

'Dat komt straks pas,' lacht Nikki. 'De warming-up doen we zonder. Als iedereen gaat staan – rug recht, schouders ontspannen – kunnen we beginnen. Zing mij maar na.'

Nikki start met een paar toonladders. Aarzelend vallen we haar bij.

'Mm, klinkt niet verkeerd. Ga door, ga door.'

Nikki loopt rond en geeft feedback. Ook bij mij blijft ze staan: 'Geef je middenrif de ruimte. Adem door je buik, laat je zien. Ja zo, oké, that's it.'

Dit voelt goed, ik geniet met volle teugen.

'Merken jullie al dat je stem wat losser wordt? Mooi, dan gaan we nu iets solo zingen. Kies een song, maar let op dat het niet meteen te moeilijk is. Wie durft?'

Fanatiek steekt Shayla haar hand op. Nét iets eerder dan Ilona.

'Ja jij, zeg het maar.'

'Nou, ik ben Shayla en ik eh, ik wil graag *Touch my soul* zingen.'

'Die powerballad van Chess?'

Shayla knikt. 'Heb je die in je Media Player?'

'Even zoeken... Yep, hier is ie. Oké, laat maar horen, ben benieuwd.' Nikki geeft Shayla de microfoon.

Nog één keer haalt Shayla diep adem, haar ogen gesloten om zich te concentreren. Dan brengt ze bijna gedachteloos de microfoon naar haar mond en begint te zingen. Haar volle, warme, soms slepende stem vult de ruimte. Met iedere noot krijgt ze meer zelfvertrouwen. Dit is háár ding.

Als de laatste klank wegsterft, is het muisstil in het lokaal. Zelfs Ilona heeft even geen tekst. Nikki is de eerste die wat zegt. 'Jee Shayla, ik heb zelden te weinig woorden... Je stem, je pose, je performance... het klopt allemaal. Ik kan maar één ding zeggen: girl, you've got soul!'

14

Shayla zweeft bijna het zanglokaal uit. Mijn god, wat een complimenten kreeg ze. En dat van Nikki. Van PopFactory! Best stoer en glamorous om les te hebben van een tv-celeb.

'Hé Shayl, wel met beide voeten op de grond blijven, hè,' lacht Lizzie. 'Maar effe serieus, je stónd er gewoon. Vet gewoon! En wat was die bitch van een Ilona ineens stil.'

'Eat your heart out, dear Ilona,' sneer ik vals.

'Ja, opzouten met die griet. Kom, we gaan lekker eten.' Evi trekt me mee. 'Ik sterf van de honger.'

In de eetzaal is het al aardig druk.

'Vlug, daar op het terras is nog een tafeltje.' Zonder een antwoord af te wachten, verdwijnt Evi door de openslaande deuren.

'Wacht, ik haal nog wat te drinken. Jullie ook?' roep ik.

'Doe maar een cola of zo. Ja toch?'

'Lekker.'

Langzaam loop ik naar de koeling. Net als ik de blikjes wil pakken, hoor ik een bekende stem achter me.

'Hé hallo.'

Mijn hart bonkt als een razende in mijn keel. Tom, eindelijk. Ik draai me om en kijk hem recht aan. Mijn god, hij… hij is gemaakt van blonde lokken en enorm blauwe ogen. 'H-hoi…' Iets anders kan ik niet uitbrengen.

Een paar seconden staren we naar elkaar. Het lijken wel uren. Mijn adem stokt, ik tril over mijn hele lichaam. Verdomme, daar is ook die kriebel weer. Alles om me heen vervaagt, ik zie alleen nog maar Tom. Evi heeft gelijk, love is best wel een beetje in the air. Best veel eigenlijk. Maar hij is ook zo...

Plotseling roept iemand Toms naam. Wég is het magische moment.

'Sorry, moet gaan,' verbreekt Tom de stilte, terwijl hij kort over zijn schouder kijkt. 'Mike heeft al een cola voor me gehaald, zie ik.'

'Oh, maar...'

'See you soon,' fluistert hij geheimzinnig. Dan draait hij zich om en loopt weg, mij verward achterlatend.

Het duurt even voor ik weer bij mijn positieven ben. Wat bedoelde hij met 'see you soon'? Een date misschien? In gedachten trek ik de koeling open en pak vier blikjes cola. Volgens mij vindt hij me echt leuk, anders zeg je zoiets toch niet? Stralend loop ik terug naar het terras.

'O, geef hier die cola.' Lizzie zit puffend onder de parasol. Zelfs het spotten van hunks is haar te veel.

'Wat is er met jou aan de hand?' Verbaasd kijkt Shayla me aan. 'Je kijkt zo raar.'

'O, ik bedacht me net hoe megacool dit kamp is...' lul ik me eruit. Ik wil Shayl en Lizzie nog niet over Tom vertellen. Niet hier, niet nu. Vlug verander ik van onderwerp. 'En trouwens, welke workshop hebben we straks?'

'Workshop? Ik moet er niet aan denken. Zelfs songwriting is me nu te veel. My God, wat heb ik het warm.' Op Evi's voorhoofd parelen druppeltjes zweet.

'Warm?' moppert Lizzie. 'Bloody hot zul je bedoelen. Ik zit hier met klotsende oksels.'

Shayla drinkt in één teug haar blikje leeg. 'Ik móet er echt nog een. Wie nog meer?'

Precies op dat moment komt Fons naar buiten. 'Oké Campers, mag ik even jullie aandacht.'

Het geroezemoes verstomt.

'Zoals jullie allemaal wel gemerkt hebben, is het vandaag bloed-heet. Mooi natuurlijk, de tropen in Nederland. Maar om nu in een lokaal weg te smelten, vinden zelfs wij niet te doen. Daarom cancelen we alle workshops van vanmiddag. Jullie krijgen lekker vrij.'

Op het terras klinkt luid gejoel.

'Nou nou, dat is wel heel enthousiast. Nog één ding,' gaat Fons verder, 'ik kan de Oosterkerkseplas, iets verderop, van harte aan-bevelen. Even lekker afkoelen in het meer. En het is nog gratis ook. Anyway, it's up to you. We zien jullie in ieder geval vanavond bij de barbecue. Tot dan!'

15

'Heb ik nou alles?' Afwezig prop ik een badlaken in mijn rugzak. 'Bikini? Badlaken? Zonnebril? Zonnebrand?' Typisch Evi, altijd even praktisch.

'Ja, geloof het wel,' mompel ik, terwijl ik wezenloos naar mijn tas staar.

'Dan heb je dus alles.'

Ik zucht. Ik ben al een enorme chaoot, maar met die Tom in m'n kop functioneer ik helemaal niet meer.

'Schiet nou effe op. Ik wil gaan.'

'Oké.' Ik doe mijn Havaianas aan en zwaai mijn rugzak om mijn schouder. 'Waar is het eigenlijk, die Ooster-nog-wat?'

'Vlakbij,' begint Evi. 'Een zijpad van die weg tussen de maïsvelden, zei Fons. Ongeveer een kilometer. Kan niet missen.'

'Eén kilometer? In deze hitte? Ik ga flippen.' Lizzie heeft het helemaal gehad. 'Rijden er in deze rimboe ook taxi's?'

'Niet zeuren, je kan zo weer horizontaal.'

Zwijgend lopen we verder. Er is geen zuchtje wind en de zon brandt genadeloos.

'Kijk, hier moeten we in.' Evi wijst naar een stoffig zandpad. In de berm, half verscholen tussen het hoge gras, staat een gammel, houten bordje: Oosterkerkseplas. Kordaat slaat ze linksaf, Shayla en ik in haar kielzog. Traag strompelt Lizzie achter ons aan. Haar Louis Vuitton glijdt steeds van haar schouder. 'Ik kan niet wachten, het water klotst uit m'n oksels,' mompelt ze en nipt aan haar flesje water.

'Kijk, hier is het.' Evi draait zich tevreden om.

Voor ons ligt de Oosterkerkseplas. Op het strandje en het grasveld is het al behoorlijk druk.

'Het is best een groot meer. Je kunt de overkant bijna niet zien.'

'Nou Pien, overdrijven is ook een vak.'

'Wel veel ouders met kleine kinderen,' zegt Shayla weifelend.

'Nee hè, niet een hele middag poepluiers en babygejengel.' Lizzie schiet acuut in de stress.

'Valt vast wel mee. Als je eenmaal je ogen dicht hebt... Hé, daar heb je een paar meiden van danceclass.' Spontaan wil ik mijn hand opsteken.

'Nu effe niet, Pien,' kreunt Lizzie. 'Ik ben niet in de mood om te socializen.'

'Nee, we hebben vrij,' beaamt Shayla. 'En voor je het weet ligt die bitch van een Ilona daar ergens. Ik heb het helemaal gehad met haar irri opmerkingen.'

'Ik moet hier toch érgens rustig kunnen pitten?' Chagrijnig blijft Lizzie staan.

'Daar, bij die struiken. Geen baby's, geen Campers, geen bitches.' Shayla pakt haar tas en loopt naar het lege plekje. Ze haalt haar badlaken tevoorschijn en trekt haar strandjurkje uit. 'Zo, ik zit.'

'Hij is echt vet, die gele bikini,' zegt Evi terwijl ze naast Shayla neerploft. Als eerste pakt ze haar zonnebrand uit de tas. 'Ik moet meteen smeren, hoor. Anders ben ik straks zo rood als een kreeft.'

'Nee hè.'

'What's up?'

'Iets ergs?'

'Nou ja, erg. Ben ik toch nog m'n zonnebrand vergeten,' mopper ik.

'Geeft niks, neem maar wat van mij,' biedt Evi aan.

'Ja duh, factor tachtig zeker. Hoogstens voor mijn neus. Shayl, mag ik wat van jou? Je hebt van die lekkere kokosolie.'

Lachend gooit Shayla de spray naar me toe. Plotseling piept haar mobiel. Ze graait hem uit haar tas en leest het berichtje.

'Van wie is het?' vraag ik, helemaal niet nieuwsgierig.

'M'n vader. Over die creep, weet je wel.'

'En?'

'Hij heeft de politie gebeld. De zaak loopt, geloof ik.'

'Geloof ik… hoe bedoel je? Bel 'm effe. Vraag 'm hoe het precies zit.'

'Ja, nu. Nu meteen.'

Shayla aarzelt. 'Ik weet het niet, ik bedoel, ik heb geen zin in dat gezeik.'

'Ja, maar je wilt toch weten of ze die gluiperd hebben opgepakt.'

'Oké dan.' Shayla pakt haar mobiel. 'Hoi pap.'

'Zet 'm even op speaker,' fluister ik.

'… en toen ik die meneer Keijzer, z'n baas dus, zelf aan de lijn had, bleek dat die gluiperd gewoon aan het bijklussen was,' hoor ik Marvin vertellen. 'Zwart nota bene, en dan in de baas zijn bestelbus. Hij heeft zelfs gipsplaten en verf gepikt.'

'Echt?' Shayla's mond valt open.

'Compleet woest was die Keijzer. Keurige man, trouwens, hij wist niet wat ie hoorde. Schaamde zich dood. Nou, die smeerlap kan het nu wel schudden, die vliegt eruit,' lacht Marvin. 'En de politie gaat er ook nog eens werk van maken. Geloof mij, die zit morgen lekker bij zo'n rechercheur. Je weet wel, net als in die politieseries.'

'Net goed voor die griezel. Moet ie maar niet met z'n gore tengels aan me zitten.'

'Nou, ik ga weer hangen, meiden. Jullie hebben het vast heel druk met die workshops en zo. Maar ik wilde je het toch even laten weten, Shayl. Om je gerust te stellen.'

'Dank je pap, hartstikke lief. Nu kan ik het echt van me afzetten.'

'Have fun,' roept Marvin nog.

Shayla staart even naar haar mobiel en zucht. 'Djiezz, dat lucht op. Oké, ik vind het hier vet cool, maar dat hele gedoe bleef toch stiekem door m'n hoofd spoken. Nu is het echt klaar. Dus kom maar op met die vakantie, ik ga helemaal los. Hoewel, met die hitte. Eerst effe bakken.' Met een knipoog laat ze zich op haar badlaken vallen.

'Strak plan.' Op de rand van Lizzies enorme badlaken ligt een hele batterij zonnebrandcrèmes. Een voor haar gezicht, een voor de gevoelige zones en een voor de rest. Met haar laatste krachten smeert ze zich in. 'Tot straks, ladies. Effe chillen.'

'Zo, die is vertrokken. Ik ben ook weg.' Shayla doet haar earphones in en schuift een mega zonnebril op haar neus.

Als Evi eindelijk is uitgesmeerd, haalt ze haar songwritingboek tevoorschijn en draait zich op haar buik. Leunend op haar ellebogen zoekt ze waar ze gebleven was. Dan vergeet ook zij de wereld om zich heen.

Dromerig staar ik voor me uit. Het magische moment met Tom laat me maar niet los. Die felblauwe ogen, ik verdronk er zowat in. En wat bedoelde hij nou met 'see you soon'? Wanneer is soon precies? Vanavond, bij de barbecue? Misschien gaan we wel weer wat drinken bij de bosrand. Dan moet ik zorgen dat ik naast hem zit.

Mijn ogen speuren het strand af. Maar hoe ik ook tuur, geen Tom. Teleurgesteld ga ik liggen. De zon prikt gemeen op mijn huid. Eigenlijk is dit niets voor mij, eindeloos bakken. En al helemaal niet in deze bloedhitte.

Ongedurig kom ik weer overeind. Die Ooster-nog-wat ziet er aanlokkelijk uit.

'Wie gaat er mee zwemmen?' probeer ik. 'Ik kook zowat.'

'Huh.' Lizzie schrikt op uit haar slaap.

'Neuh,' antwoordt Shayla. 'Count me out.'

Evi kijkt verstoord op uit haar boek.

'Ah, kom op Eef, die zon brandt als een gek. Je moet er even uit. Straks verbrand je nog.'

'Oké, ik ga wel even mee.'

Sloom lopen we het water in.

'Ah, lekker koel.'

'Ja, just what I needed.'

Als Evi er bijna tot haar middel in staat, stopt ze.

'Kom op, joh,' spoor ik haar aan. 'Het is vet lekker.' Ik neem een duik en verdwijn onder water. De spetters vliegen in het rond.

'Ieeeh,' gilt Evi. 'Vet lekker? IJskoud zul je bedoelen.'

'Schijterd! Wat wil je dan? Smelten op je handdoek? Effe doorbijten!'

'Oké dan.' Evi laat zich langzaam in het water zakken. 'Aah… wat een verademing. Ik snap niet dat die twee het daar volhouden. Hoe bruin willen ze worden?' Stoer, maar ook een beetje jaloers, kijkt ze naar Shayla en Lizzie.

'Wat denk je, is het hier diep?' vraag ik.

'Geen idee.'

Mijn voeten zoeken de bodem. 'Gad-ver!'

'Wat is er?' Evi gaat ook staan. 'Ieeh! Ik zak tot mijn enkels in de modder.'

'Moet je zien, de derrie krult helemaal tussen mijn tenen door. Ranzig gewoon!' Walgend houd ik mijn voet boven water. De zwarte drab druipt eraf.

'Ha lekker, een modderbad. Weet je, in een spa betaal je daar een vermogen voor. En wij hebben het hier gratis en voor niks. Zullen we Lizzie even wakker maken, voor een schoonheidsmaskertje?'

We gieren het uit.

'Ik zag Tom net nog,' zegt Evi dan tussen neus en lippen door.

'Wat? Waar? Wanneer?' Koortsachtig scan ik het meer en het strandje.

'Nee, niet hier, bij de lunch. O Pien, geef nou maar toe, je hebt echt een crush op hem. Dat is toch niet erg, ik bedoel, het is een coole hunk. Zelfs ik zou er bijna voor vallen.'

'Ja… misschien heb je wel gelijk… Maar, nog niet aan Lizz en Shayl vertellen, hoor. Promise?'

Evi lacht. 'My lips are sealed.'

16

'Mm, ik kom eindelijk een beetje bij! Dat was wel weer genoeg koppijn voor de rest van mijn leven.' Lizzie strekt zich uit op haar badlaken en smeert haar nu al diepbruine armen nog een keer flink in. Evi kijkt jaloers. Arme Eef, die wordt alleen maar rood en krijgt sproeten.

Shayla draait zich op haar buik en leunt op haar ellebogen. 'Dat was kicken hè. Ik bedoel, die workshop vanochtend. Moet er steeds aan denken.'

'Tof mens ook, die Nikki. Zo professioneel...'

'Zo cool om nieuwe dingen te leren. Heel anders dan bij Michiel, zeg maar. Ik bedoel, hij is een hartstikke goeie muziekleraar, maar Nikki kijkt veel groter, veel meer naar het geheel. Onze performance en uitstraling en zo.' Ik ga op mijn handdoek zitten en smeer wat zonnebrand van Evi op m'n neus. 'Wordt ie al rood?'

'Neuh.'

'Nikki gaf me trouwens een goeie tip, over hoe ik die hoge toon makkelijker kan halen. En nu gaat het ineens stukken beter. Toch?' Langzaam schuift Lizzie haar zonnebril omhoog en masseert dan gracieus wat zonnegel op haar hals. Die paracetamol en dat dutje zijn een goede combi. Ze doet weer een beetje mee. At last, denk ik.

'Weet je waar ík zin in heb?' zegt Shayla ineens. 'Effe lekker met elkaar jammen. Wat funky nummers spelen. Ik zit nog zó in die flow van vanochtend.'

'Kan ik me voorstellen, Nikki prees je de hemel in. Maarre, tof plan,' zegt Evi. 'By the way, ik begin toch mega te verbranden.'

'Right, inpakken en wegwezen dan.'

'Nu al? We zijn er net.' Kritisch inspecteert Lizzie het randje van haar bikinibroekje. Alsof ze nog niet bruin genoeg is.

'Nee joh, we zijn hier al zeker twee uur. Maar jij hebt al die tijd liggen maffen.'

'Ja, effe actie. Ik verveel me dood. Zwemmen kun je hier wel vergeten. Het is gewoon één groot modderbad. Eef en ik stonden tot onze enkels in de drek. Niks voor jullie. Dus, kom op.' Ik zie die jamsessie helemaal zitten.

'Oké dan,' zucht Lizzie.

Zachtjes doet Shayla de deur van het lokaal open. Er is niemand.

'Zou het eigenlijk wel mogen?'

'Túúrlijk, we hebben er toch voor betaald?'

'En het zijn onze eigen instrumenten.'

'Het drumstel niet...' Evi kijkt aarzelend om zich heen. 'Moeten we het echt niet even vragen?'

'Zie jij iemand?' constateert Lizzie. 'Kom op Eef, niet zo schijterig. Ben jij nou een stoere chick?'

Ik sta al in de ruimte, pak mijn basgitaar en sluit die aan. Shayla loopt naar de microfoon. 'Test, testing... One, one... One-two-three.'

Nog altijd niet op haar gemak, schuift Evi achter het drumstel.

'Welk nummer?' Shayla is er klaar voor.

'Onze favo song, *Naughty boys and girls*?' Voordat iemand ook maar kan antwoorden, sla ik de eerste akkoorden aan. Lizzie valt bij en beweegt soepel haar plectrum over de snaren. Zo te zien zijn haar vette kater en bonkende hoofd definitief verdwenen. Ze is er weer.

Ook Evi gaat nu helemaal los. Shayla's timing is perfect, net als altijd eigenlijk. Haar rauwe, sexy stem sluit naadloos aan bij de melodie.

'Wow, groovy!' Shayla kijkt enthousiast op. 'Nog een nummer?'

We knikken. Het voelt vertrouwd, net als de jamsessies bij Evi thuis.

'Wat dachten jullie van deze?' Lizzie speelt het intro van een top-tienhit.

'Ja, die hebben we laatst nog geoefend. Lekker funky!'

Fanatiek spelen we nummer na nummer. We zitten er helemaal in, kunnen niet stoppen.

'Oké dan, nog een laatste?' Ik kijk even op mijn horloge. 'Het is al bijna vijf uur, straks is iedereen weer terug.'

'*Touch my soul*?' vraagt Shayla.

'Cool! Net als vanochtend, maar nu totally live. Ook met backing vocals enzo.'

Shayla begint klein en langzaam vult haar stem het lokaal. Ruig, hees, zwoel, het is er allemaal. In trance spelen we verder. De instrumenten, de backing vocals, het klopt gewoon.

Even denk ik niet aan Tom, en al helemaal niet aan Noah. Het is hier ook zo te gek. Het kamp, m'n vriendinnen, de dans, de music. Hier heb ik het voor gedaan, die irri folderwijk, zeiknat in de regen... Op gevoel speel ik de akkoorden. Voor ik het in de gaten heb, perst Shayla de allerlaatste noot eruit. Dan klinkt er plotseling applaus. Betrapt kijken we alle vier om. In de deuropening staan Daan, Nikki en... Ilona. Wat doet die bitch daar in godsnaam?

Evi's wangen kleuren dieprood. 'Zie je wel... Ik zei het toch...'

'H-hoe lang staan jullie daar al?' stamelt Lizzie.

'Lang genoeg,' lacht Nikki. 'We dachten eigenlijk dat iedereen naar de Oosterkerkseplas was. Maar Ilona kwam vertellen dat jullie hier stonden te jammen. Nou, toen zijn we maar even gaan kijken.'

'Sneaky bitch,' sist Shayla. 'Zit ze ons keihard te verlinken.'

'Jullie hadden lekker niks in de gaten. Ook niet dat we om het hoekje keken,' lacht Ilona vals.

Nikki stapt enthousiast het lokaal binnen. 'Niet te geloven meiden, wat een performance! Eerst vanochtend al Shayla, en nu dit.'

We knikken, nog steeds wat verbouwereerd.

Ilona kijkt vol verbazing naar Nikki. 'Maar... dat mag toch

zomaar niet, stiekem het lokaal gebruiken? Ik bedoel, dat moet je toch eerst vragen…?'

'Zo te horen jammen jullie wel vaker.' Zonder ook maar enige aandacht aan Ilona te besteden, gaat Nikki verder. 'Het klonk echt veelbelovend. Niet alleen jouw stem, Shayla, ook het geheel. Echt vier chicks met ballen.'

'Jullie zijn niet alleen muzikaal goed op elkaar ingespeeld, jullie entertainen ook,' vult Daan aan. 'Zoals jullie met elkaar omgaan, dansen en bewegen… een soort chemie.'

'Echt waar…?' Duh, wat gebeurt hier? Het dringt nog niet helemaal tot me door.

'Wat denk je? Dat ik dit zomaar uit mijn duim sta te zuigen?'

'Nou… nee.'

'Hier moeten we iets mee, Daan. Kunnen we ze niet als band wat workshops geven? Ik zie wel potentie, zeg maar.'

'Mm, er valt denk ik wel wat te regelen. Maar jullie moeten het wel écht willen. Het kost natuurlijk vrije tijd, of je laat een andere workshop schieten… Maar dan heb je wél wat!' lacht Daan.

'En wat dachten jullie van het slotfeest? Een spetterend optreden? Mainstage voor alle Campers?' Nikki ratelt aan één stuk door. 'Kunnen jullie nog één nummer spelen? Kennen jullie *Valerie* van Amy Winehouse?'

'Sure! Dat hebben we ook op het eindfeest van school gespeeld.'

'Nou, laat horen dan!'

Daan en Nikki leunen met hun rug tegen de muur. Ilona heeft even geen tekst, haar gezicht staat op onweer.

'Wat nu?' fluistert Evi.

'Gewoon, spelen.' Shayla pakt de microfoon.

'Ja maar…' Evi gebaart met haar hoofd naar Daan en Nikki.

'Zenuwachtig?'

'Eigenlijk wel, ja… Jullie niet dan?'

'Mm,' mompel ik.

'Hé meiden, kom op, nog één keer knallen.' Shayla draait zich om en begint zachtjes de melodie te neuriën. Langzaam verandert de rustige ballad in een zinderende song.

'Wow,' roept Nikki. 'Ik ben om! Die extra workshop moet er komen, hoe dan ook. Daar zal ik persoonlijk voor zorgen.'

In de deuropening barst Ilona uit elkaar van jaloezie. Vuil kijkt ze me aan, haar ogen spuwen vuur. Dan beent ze woedend het lokaal uit.

17

'Een eigen workshop, stoer!'

Lizzie en ik liggen voor de tent, starend naar de blauwe lucht.

'En die Ilona, die baalde me toch. Zag je hoe ze wegrende. Als blikken konden doden...' klinkt Shayla vanuit haar tent.

'Vette pech. Moet ze maar niet zo vals klikken.'

'Ben benieuwd wat we in die workshop gaan doen. Wat denk jij?'

'Geen idee. Misschien wel...' Plotseling piept mijn Samsung. 'Wacht, een sms'je... Van Josje!'

'Van Josje?' Shayla steekt haar hoofd naar buiten.

'Wat zegt ze?' Nieuwsgierig stort Lizzie zich op mijn mobiel, haar neus bijna in het display.

'Ja lekker, zo zie ik toch niks.'

'Sorry.'

'How's life?' lees ik. 'Miss you.'

'Arme Josje, helemaal alleen.'

'Nou, die heeft niets te klagen, die gaat straks lekker drie weken naar Kreta. Zon, zee en Griekse godenzonen.'

'Wat voor zonen?'

'Laat maar.' Mijn duim beweegt intussen razendsnel over de toetsen.

'Wat sms je?'

'Lots of fun. Xxx frm yr 4 BFFs.'

Niet veel later gaat mijn mobiel.

'Het is Josje.'

'O gezellie, neem op!'

'Aloha!' gilt Josje in mijn oor.

'Hé Jos, how's life? Wacht, ik zet hem even op de speaker.'

'Niks aan zonder jullie. Maar vertel: how is Camps? Hilarisch of boring?'

'Het is hier un-be-lie-va-ble,' roept Shayla.

'En we zijn ontdekt!' gilt Lizzie er doorheen.

'Wat zeg je? Hebben jullie boys ontdekt?'

'Dat ook, maar wíj zijn ontdekt. Wij, als band.'

'Ja, hoor...'

'Nee, echt waar. Door Nikki. Je weet wel, die zangcoach van PopFactory. Die is hier!'

'Wát? Dat meen je niet!'

'Ja, vanochtend hadden we een workshop van haar. En ze was he-le-maal weg van Shayla's stem.'

'We krijgen een speciale workshop. Voor ons, als band...'

'En we gaan optreden op het slotfeest...'

'Ik wist het. Ik wist het!' Josjes stem slaat bijna over. 'O, zie je wel, ik had mee moeten gaan. Hebben jullie al een manager? Ik bied me aan. Gratis en voor niks.'

'We zullen aan je denken als we beroemd zijn,' lach ik.

'Dan is het al way too late. Je moet er vroeg bij zijn, anders worden jullie straks vet uitgebuit en gaat een ander er met de centen vandoor. Maar zonder dollen, keep me posted.'

'Tuurlijk, maar we moeten nu gaan. Douchen en tutten en zo. Vanavond hebben we een barbecue. En daarna een dropping in het bos.'

'Ah, lekker griezelen in het donker... Krakende takken, harige spinnen en sissende slangen. Creepy!'

'Jos, doe effe normaal. We overleven het wel.'

'Moet ik nog zien. Have fun en later!'

'Later,' gillen we in koor.

18

Onopvallend stoot Evi me aan. 'Kijk, daar heb je Tom.'
'Waar?' Ik verslik me bijna in mijn hamburger.
'Daar, achter de barbecue. Bij die parasol.'
Dromerig staar ik naar Tom, maar hij ziet me niet.
'Ga anders even naar hem toe.'
'Ben je verlept of zo! Hij staat met die Mike te kletsen, dat zie je toch?'
'Nou en? Zo wordt het nooit wat, Pien.'
'Ja, nou, eh... misschien straks, of...'
'What's up?' Met een bord vol worstjes schuift Shayla samen met Lizzie aan tafel.
'Eh, niks.'
'Niks? Je hebt anders een hoofd als een rijpe tomaat.'
'O dat. Ik verslikte me net.'
'En ze is ook een beetje verbrand,' helpt Evi.
'Met factor tachtig?' Lizzie kijkt vol ongeloof.
'Te laat gesmeerd, denk ik. En alleen maar op m'n neus.' Hopelijk lul ik me er zo uit.
'Whatever.' Shayla doopt een worstje in de mayo en neemt een grote hap.
Traag schuift Lizzie de salade op haar bord heen en weer. 'Nou, de vegetariërs hebben een topavond. Moet je kijken, die vegaburger ziet er toch niet uit? Het lijkt wel een...'
'...gebraden geitenwollen sok. Arme Lizz.'
'Nou ja, dan ga ik maar hunks spotten.' Lizzie prikt een tomaatje aan haar vork.

Zwijgend kijkt ze om zich heen, terwijl ik me op het eten stort. Nu pas merk ik dat ik ben uitgehongerd.

Plotseling staat Nikki aan onze tafel. 'Ah, daar zijn jullie. Eet smakelijk.'

'Bwank je,' antwoordt Evi met volle mond.

'Nou, het is geregeld hoor!'

'Wat?'

'Jullie extra workshop. Morgenochtend kunnen we meteen aan de slag. Jullie missen dan wel podiumperformance. Maakt niet zo veel uit, dat pakken we meteen stevig mee.'

'Wauw... dat je dat zo snel gefixt hebt!'

'Ach, talent moet je nooit negeren.'

'Thanx.'

'Mooi, dan zie ik jullie morgen. Zelfde lokaal.' Nikki loopt alweer verder en draait zich nog één keer lachend om. 'Om tien uur. Dus vanavond niet verdwalen in het bos.'

De zon staat al laag, maar schijnt nog altijd oranje. De borden zijn leeg, de drankjes op. Alleen de barbecue smeult na. Hier en daar klinkt geroezemoes. Ik vang flarden van onbenullige gesprekken op. Het wachten is duidelijk op de dropping.

Overgedreven opgedoft zitten we op het terras. 'Pff, koelt het nou nooit af?' Ik schuif het schouderbandje van mijn jurkje omhoog. 'Wat denken jullie, moet ik straks nog een spijkerjackie mee of zo?'

'Nee joh, volgens mij blijft het de hele nacht zo bloody benauwd. Koeler dan dit wordt het niet. Ik bedoel, ik doe ook alleen maar dit aan.'

'Djiezz, wanneer begint dat droppinggedoe nou eindelijk? Als het pikkedonker is soms?'

Ineens klinkt Fons' stem. 'Campers, even centraal graag. We gaan zo met de dropping beginnen. En de naam zegt het al: we droppen jullie ergens in het bos. Zie dan maar weer je weg terug te vinden. Natuurlijk helpen we wel een beetje, met een soort van beschrijving, zeg maar. Maar niet te makkelijk natuurlijk. En de groep die de snelste tijd neerzet, wint. Simple as that.' Even haalt hij adem. 'Oké, ik noem zo jullie namen en dan gaan jullie direct met je groep bij elkaar staan om te vertrekken. De eerste groep is Tessa, Anouk, Nick, Yuri, Kirsten en Meike.'

Gespannen wacht ik tot ik mijn naam hoor.

'De tweede groep: Milan, Evi, Maartje, Lena, Sharon en Ralph.'

'Shit Evi, je zit niet bij ons! Hoe kan dat nou?' Shayla klinkt teleurgesteld.

'..., Felix en Shayla, groep drie.'

'Oh My God, ze stoppen ons allemaal in een andere groep.' Lizzie raakt lichtelijk in paniek. 'Volgens mij doen ze het expres.'

'Daar kan ik me wel iets bij voorstellen. We klitten al de hele tijd aan elkaar. Wat maakt het trouwens uit. Het is mega spannend, in het donker, in het bos...' Ik probeer stoer te klinken, maar diep in mijn hart vind ik het ook maar niks. Ik bedoel, zo'n donker bos met van die enge beesten en creepy geluiden.

'Nou, het is maar wat je spannend noemt.'

'Lizzie, Jack, Stijn, Tobias, Barbara en Sanna. Jullie zijn groep vier.'

'Hé Lizz, je zit bij die Jack, die high school cutie. Jij boft.' Ik knipoog veelbetekenend.

'Hoezo boffen? Ik ben niet zo van de droppings. Geef mij maar gewoon een leuke...'

Dan hoor ik opeens mijn naam. En die van Tom... Even staat de wereld stil. Niet te geloven, ik zit bij Tom!

Bloednerveus stap ik in het geblindeerde busje. Mijn lichaam staat strak van de spanning.

'Hier, kom hier maar zitten.' Tom gebaart naar de stoel naast hem. Dan tovert hij een onweerstaanbare glimlach op zijn gezicht. 'Ik zei het toch, see you soon.'

Ik héb het niet meer. Mijn knieën knikken zo erg dat ik me aan een leuning moet vastgrijpen. Onhandig laat ik me op de stoel naast Tom zakken. Ik kan mijn ogen niet van hem afhouden. In het donker is hij nóg knapper. 'Best spannend hè?' weet ik nog net uit te brengen.

'Ah joh, zo'n dropping stelt niks voor. Ik heb dit al zo vaak gedaan. Let maar op, voor je het weet, zijn we alweer terug.'

Als laatste stapt Ilona in. Shit, zit die ook in ons groepje? Ineens baal ik als een stekker. Die griet is altijd zo opgefokt en aanwezig, met haar irritante opmerkingen.

Het busje zet zich in beweging en via een eindeloze omweg rijden we dieper het bos in. Het pad wordt steeds hobbeliger. Ik kan er niets aan doen, maar ik val elke keer tegen Tom aan. 'Sorry,' glimlach ik verlegen.

'Geeft niks. Van jou kan ik het hebben.'

Wat zegt ie nou? Mijn hart bonkt steeds harder in mijn keel. Ik wil de hele nacht wel in het busje blijven. Met Tom dicht tegen me aan.

Plotseling stoppen we en gaat de schuifdeur open.

'We zijn er,' roept Daan vrolijk.

Een voor een stappen we uit. Afwachtend kijk ik om me heen. Ik zie bijna geen hand voor ogen. Dit wordt helemaal niks.

'Nou, succes dan maar. Ben benieuwd of jullie als snelste terug zijn.' Daan stapt weer in en start de motor. Langzaam verdwijnen de rode achterlichten tussen de bomen. Dan is het pikkedonker.

'Kijk eens, deze jongen heeft aan alles gedacht.' Triomfantelijk haalt Tom een zaklamp uit zijn sweatshirt. Hij knipt hem aan en donkere schaduwen flitsen voorbij.

Ik huiver even. Niet mekkeren, Pien, mompel ik in mezelf. Al moet ik uren door het bos dwalen, ik ben nu dicht bij Tom. En Ilona of geen Ilona, mijn avond kan niet meer stuk.

'Nou, op naar de boerderij dan maar. Wie heeft die beschrijving?' Tom neemt duidelijk de leiding.

'Hier, ik heb hem.' Ilona glimlacht poeslief.

'Thanx.' Met de zaklamp schijnt Tom op de tekst. 'Bij de eerste omgevallen boom linksaf. Ziet iemand een dooie eik of zo?'

'We moesten eerst die kant op, volgens Daan.'

'Oké, let's go.' Tom gaat voorop, ik stilletjes achter hem aan. Een beetje angstig kijk ik om me heen. Hoor ik daar wat ritselen? En zou het echt waar zijn, van die sissende slangen? Mijn god, ik zie geen hand voor ogen, hier in het holst van de nacht. Zie je wel, dit is niets voor mij. Stond die horrordropping trouwens wel in die brochure?

'Is dit 'm?' Alex wijst naar een omgevallen boom.

'Zou kunnen, maar daar ligt er ook een.'

'Ja, maar er staat toch de éérste boom.'

'Ik… ik zie helemaal geen pad.' Met samengeknepen ogen tuur ik om me heen.

'Duh, wat maakt dát nou uit,' antwoordt Ilona kattig. 'Wat vind jij, Tom?'

Tom schijnt bij met zijn zaklamp. 'Mm, dan moeten we maar dwars door de struiken.'

'Weet je het zeker?' Ik twijfel nog steeds. Dit kan niet goed zijn. Ik bedoel, wie gaat er nou in het pikkedonker door de struiken banjeren?

'Het staat er toch,' bitst Ilona. 'Dus waar wachten we nog op? Volg mij maar.'

Onhandig loop ik achter de groep aan de struiken in. Scherpe takken schuren gemeen langs m'n blote benen. 'Lekker handig, zo'n zomerjurkje,' vloek ik binnensmonds en gooi er meteen nog wat krachttermen achteraan.

Bij iedere stap worden de struiken dichter en dan weet ik het zeker. Dit kan nooit de bedoeling zijn. 'Jongens, volgens mij gaan we echt niet goed,' probeer ik voorzichtig.

'Ja duh, wat denk je zelf? Bij een dropping horen nou eenmaal ook moeilijke stukken. Wat had je dan verwacht? Mooie rechte paden, met verlichting en pijlen die ons de weg wijzen? Dacht het niet, dus doe niet zo hysterisch,' doet Ilona uit de hoogte.

'Nou, ik denk dat Pien weleens gelijk kan hebben.' Tom draait zich om en kijkt eens goed om zich heen. Dan loopt hij terug naar het pad. 'Ja, kijk, het is toch die andere boom. Daar is wel een paadje. Ik denk dat we zo moeten.'

'Je hebt vast gelijk, Tom. Ik dacht het eigenlijk al wel, maar iedereen liep maar door, dus...'

Wat een valse trut, die Ilona! Denkt ze nou echt dat ze met dat geslijm iets bereikt? Woest worstel ik me door het dichte struikgewas.

'Hé doos, kijk uit!' roept Ilona.

'Hoezo?'

'Nou, je zwiept keihard een tak tegen me aan. Lekker a-sociaal.'

'Oh, sorry.'

'Maar ik snap het wel hoor, waarom je opeens zo'n haast hebt. Je wilt natuurlijk dicht bij hem blijven. Je hebt zeker een oogje op hem.'

'Een oogje? Op wie?

'Doe niet zo hypocriet, Pien. Tom natuurlijk. Ik had het wel door hoor, daarnet in dat busje. Lekker tegen hem aan hangen.'

'O, dat. Daar kon ik niks aan doen, kwam door al die hobbels.'

'Ja ja, en dat moet ik geloven. Mooi niet, dus. Trouwens, ik zag hem eerst.'

'Eerst? Wat nou eerst. Doe niet zo opgefokt. En by the way, ik zit helemaal niet achter hem aan.' Met een rood hoofd loop ik verder. Gelukkig is het donker.

'Nou, dat is dan geregeld,' stelt Ilona tevreden vast. 'Hij is van mij. Als je dat maar weet.'

19

Al bijna twee uur dwalen we door het bos. In het donker lijkt alles op elkaar. Bomen, dichte struiken, distels, laaghangende takken, er komt maar geen eind aan. Waar blijft die boerderij toch, vraag ik me vertwijfeld af. Ik zit onder de schrammen, m'n gympen knellen en ik voel een gemene blaar opkomen. Die klote-dropping ook. Het liefst zou ik gaan zitten, even uitrusten naast Tom. Maar die loopt stug door, Ilona de hele tijd naast hem. Kijk haar eens interessant doen, met die beschrijving in haar hand. 'Hij is van mij,' doe ik Ilona na. Dacht het niet. Ik ben behoorlijk pissed.

'Hier weer naar rechts,' gilt Ilona door het bos.

Gedwee volgen de anderen haar.

'Weet je het zeker?' Ik twijfel opnieuw.

'Ja hoor, het staat er echt: het derde pad rechts. Toch, Tom?' Samen buigen ze zich over de beschrijving. Tom schijnt bij met de zaklamp.

'Maar we zijn hier net toch ook al geweest? Ik bedoel, we hadden allang weer in de bewoonde wereld moeten zijn.'

'Nee joh, dat is juist de grap van een dropping. Je bent soms wel uren onderweg.'

Ondertussen schijnt Tom met de zaklamp om zich heen. Meer dan bomen en donkere schaduwen zien we niet. 'Misschien heeft Pien wel gelijk,' zegt hij aarzelend. 'We hadden allang op een groter pad moeten zitten. Wat doen we? Terug of toch verder?'

'Ja, het is wel duidelijk dat we verkeerd zitten,' zegt Alex. 'Maar weet jij nog waar we fout gingen? We lopen al uren rondjes.'

'Ik heb een strak idee,' begint Tom. 'Ilona, als jij nou met Alex, Famke en Noortje het pad rechts pakt, dan checken Pien en ik het pad links. We moeten die rottige boerderij nu eindelijk zien te vinden.'

'Deal,' roept Alex meteen.

'Eh, nou, ik dacht, misschien is het beter als...' probeert Ilona.

'Goed, dat is dan afgesproken,' neemt Tom opnieuw de leiding.

'Maar hoe vinden we elkaar dan weer?' Ilona blijft tegensputteren.

'We gaan niet ver. En trouwens, we kunnen altijd even bellen.'

'Ja, maar hoe...'

'Je hebt toch net je nummer aan mij gegeven? Wacht, dan bel ik jou even. Heb je gelijk het mijne.' Tom pakt z'n Blackberry en pingt Ilona. Met een glimlach zet ze zijn nummer bij haar contacten.

'Kom Pien, wij gaan die kant op.' Perplex over deze snelle actie loop ik achter Tom aan, Ilona bij de anderen achterlatend.

Boven het bos pakken donkere wolken zich dreigend samen en in de verte klinkt onheilspellend gerommel. De eerste druppels tikken zachtjes op de bladeren. Plotseling schiet een bliksemschicht door de donkere nacht.

'Mm, onweer,' constateert Tom.

Ik kijk angstig om me heen. De wind steekt op en rukt aan de bomen. Dan valt ineens ook de regen met bakken uit de hemel.

'Vlug, we moeten schuilen. Hier, onder deze boo...' Voor ik mijn zin kan afmaken, trekt Tom me met zich mee.

'Wat is dit?'

'Geen idee, een soort hutje of zo. Om wild te spotten misschien?'

'Moeten we de anderen niet roepen? Ik bedoel, straks kunnen we elkaar niet meer vinden in dit noodweer.'

'Ah joh, die zijn vast ook aan het schuilen. Onder zo'n boom met van die dikke bladeren. Relax, dat komt wel goed,' stelt Tom me gerust.

Ik ga op het bankje zitten. Ik ril.

'Heb je het koud?'

'Eigenlijk wel een beetje. Die regen en wind en zo.'

'Hier, neem mijn sweatshirt maar.' Tom legt zijn trui lief om mijn schouders.

'En jij dan?'

'Echte boys hebben het nooit koud.' Zelfs in het donker meen ik een knipoog te zien.

Langzaam begin ik een beetje te ontspannen. 'Moeten we ze anders niet bellen? Er is hier plek genoeg.'

'Nee joh, dat komt straks wel. We hebben ze nu even niet nodig.' In een flits verlicht de bliksem onze gezichten. Tom kijkt me indringend aan.

'Best wel stil hier, hè. Behalve dan de donder.' Wat kraam ik nu weer voor onzin uit?

'Lekker juist, zo met z'n tweeën. At last...' zegt Tom en buigt zich naar voren. Zijn gezicht is nu heel dicht bij dat van mij. Mijn maag draait om en ik word bijna misselijk van de spanning. In een reflex deins ik terug. Ik wil wat zeggen, maar Tom neemt mijn hoofd in zijn handen. Zachtjes veegt hij een lok uit mijn gezicht. 'Sst, relax,' fluistert hij in mijn haren.

Langzaam laat hij zijn vingers over mijn lippen glijden. Zo zachtjes, het lijkt wel een droom. Ik voel me licht in mijn hoofd worden. En daar is ook weer die kriebel...

Plotseling buigt hij zijn hoofd naar voren. Zijn lippen zoeken en vinden de mijne. Hij zoent me. Eerst voorzichtig, rond mijn mond, dan met zijn tong erbij. Oh My God, dit is het dus. We zoenen! Totaal overrompeld laat ik het gebeuren en ineens maakt het me niets meer uit. Dit is wat ik wil, waar ik al die tijd op gehoopt heb. En nu... Ik weet het zeker, zo voelt het. Ik ben verliefd, smoorverliefd! Zo hevig dat het bijna pijn doet. Mijn hart gaat als een razende tekeer. Wat moet ik doen? Onwennig leg ik mijn hand in zijn nek. Direct slaat hij zijn arm om me heen. Stevig trekt hij mij tegen zich aan en...

Dan, plotseling, gerinkel. Zijn telefoon.

'Shit, Ilona. Niet nu.' Tom drukt het gesprek weg en kijkt me diep in de ogen. 'Waar waren we?' Zacht duwt hij zijn neus in mijn nek.

Zijn hand glijdt langzaam van mijn schouder, over mijn rug naar beneden. Bij mijn middel blijft hij hangen. Dan drukt hij me weer tegen zich aan. 'Weet je, ik vind je leuk.'

'E-echt?'

'Wat denk je… Ik heb de hele dag aan je gedacht.' Weer zoent hij me, nu nog heviger.

En dit keer, dit keer zoen ik echt terug.

Even plotseling als het onweer begon, is het weer voorbij. De wind gaat liggen, de regen stopt. Dan gaat opnieuw Toms Blackberry. Op het display zie ik Ilona's naam.

'Nee hè.'

Ik hoor dat Tom baalt. Ik ook trouwens. 'Misschien moet je nu wel opnemen?' zeg ik toch maar. 'Ze zijn vast ongerust.'

'Hi Ilona,' begint Tom zo onschuldig mogelijk.

'Waar zijn jullie? En waarom nam je daarnet niet op?' Ilona krijst zo hard, ik kan alles letterlijk verstaan.

'Schuilen, net als jullie. Maar we komen er zo aan.'

'Ja vlug, want we zijn net iemand tegengekomen die nog even zijn hond uitliet. En guess what, we zitten al die tijd al vlakbij de bosrand. We zijn er…'

'Cool, see you,' kapt Tom Ilona af. Even staart hij voor zich uit. 'Helaas Pien, we moeten gaan. We zijn er trouwens bijna.'

'Zie je wel, ik wist dat we niet goed gingen.'

'Maar, verdwalen heeft ook zo z'n voordelen,' knipoogt Tom brutaal.

Onnozel kijk ik hem aan.

'Ik bedoel, anders hadden we nooit samen in dit hutje gezeten. En had ik je nog steeds niet kunnen zoenen.'

'J-ja…'

'Van mij had die regen nog wel wat langer mogen duren…'

'Mm…'

'Kom.' Tom slaat zijn arm om mijn schouder en samen lopen we terug.

20

'Kijk nou, wie hebben we daar? De lost Campers.' Daan lacht op-gelucht als hij mijn groepje het terras op ziet lopen. 'Dat valt me vies tegen van jullie. Als laatsten binnen! Maar goed, pak lekker wat te drinken.'

De andere Campers zitten zo te zien al lang en breed rond de vuur-korven. Door het onweer is het gelukkig niet meer zo benauwd. Ik kijk om me heen. Waar zijn Lizzie, Evi en Shayl? Ik kan haast niet wachten om ze het grote nieuws te vertellen. Daar, daar zit Evi.

'Hé, waar ga je heen?' vraagt Tom.

'Even naar m'n vriendinnen.'

'Maar je komt toch wel weer terug?'

'Tuurlijk!'

'Oké, see you soon...'

Met een plof laat ik me op de stoel naast Evi vallen. 'Hé Eef, waar zijn Lizzie en Shayl?'

'Wat denk je? Die hadden geen voeten meer over. Een dropping op je flatjes, hoe verzinnen ze het. En Lizzie had het halve bos in haar haar. Zei ze. Dus die is meteen vertrokken naar de douches. Volgens mij heeft ze een soort van smetvrees.'

'En Shayla dan?'

'Die was ook bekaf, maar ze heeft nog wel een energydrink naar binnen gewerkt.'

'En daarna is ze zeker ook gaan douchen?'

'Hoe raad je het. En nu zijn ze naar de tent. Ze willen morgen een beetje fit zijn voor die extra workshop. Maar verder is alles goed.

Met mij, en zo. Hoe was het bij jou? Djiezz, wat hebben jullie er lang over gedaan.'

'Ach ja...'

'Jullie konden écht de weg niet meer terug vinden, hè. Daan begon zich al een beetje zorgen te maken.'

'Wat denk je, die Ilona wist het iedere keer beter. Nou ja, dan weet je het wel. We liepen constant verkeerd.' Mijn blik dwaalt af naar Tom. Juist op dat moment kijkt hij op en geeft me een vette knipoog. Ademloos staar ik terug.

'Hello, romantic times! Die blik ken ik.' Evi kijkt me veelbetekenend aan.

'Uuh...'

'Mij hou je niet meer voor de gek. Je bent in lo...'

'We hebben gezoend,' flap ik eruit. 'In het bos. En hij sloeg zijn arm om me heen.'

'Oh My God, dat meen je niet!'

'Echt waar.'

'Gezoend... Waar! Wanneer! Hoe lang! Hoe veel! Vertel, ik wil alles weten!'

'Nou, toen we moesten schuilen voor dat onweer. Tom en ik zaten in een soort hutje. Zo'n ding voor wildspotters of zo.'

'En de rest dan?'

'Die waren de andere kant op. We hadden ons groepje gesplitst om snel de weg terug te vinden. We waren verdwaald, weet je wel.'

'Oh, ik ben zo blij voor je. Tell me, hoe zoent ie?'

'Fa-bu-lous. Net een filmkus, maar dan echt. Ik had het niet meer van de spanning. Stikte zowat.'

'En toen?' Evi hangt aan mijn lippen.

'Hij is zo lief. Ik kreeg meteen z'n sweater, toen ik het een beetje koud had.'

'Wat swéét. Zijn jullie nu een setje?'

'We hebben gezoend. Ja toch, dan?'

'Wauw...' zwijmelt Evi.

'Hé Pien, kom je nog?' Ik kijk op en zie Tom naar me gebaren.

'Ga je mee,' vraag ik aan Evi. 'Nog even met Tom en Mike chillen? Please?'

'Wat denk je, tuurlijk. Let's go.'

Tom gooit zijn voeten van de loungebank om plaats voor me te maken. 'Hé Pien, en Evi. Kom erbij.'

Evi gaat naast Mike zitten, terwijl ik bijna bij Tom op schoot kruip.

'Jeetje, wat een dropping,' zegt Tom. 'Maar die Pien hè, die is toch zo stoer. Ze had als enige door dat we verkeerd gingen.'

Ik lach verlegen.

'En ze was helemaal niet bang, ze banjerde zo door alle struiken en weet ik veel wat.'

Not, denk ik. Ik deed het bijna in mijn broek. Maar dat hij zo over mij denkt...

'Nou, dan Evi. Zij loodste ons in no time het bos uit. We waren als eerste terug,' schept Mike op.

'Echt?'

'Nou ja, zo moeilijk was het ook weer niet,' zegt Evi. 'Die beschrijving was best duidelijk.'

'Vond je? Ilona snapte er bij ons geen reet van,' zegt Tom.

Op het terras haken de Campers een voor een af. Ook rond de vuurkorven zit al bijna niemand meer.

'Ik ben eigenlijk best wel moe,' zegt Evi.

'Ik ook.' Mike staat meteen op. 'See you.'

'Ga je mee, Pien?'

Ik twijfel. Het liefst wil ik nog even alleen zijn met Tom. 'Ik kom zo, Eef,' zeg ik. 'Ga maar vast.'

'Weet je het zeker?'

Ik knik. 'Zie je zo.'

Als ook Mike en Evi vertrokken zijn, zitten alleen Tom en ik nog op het terras.

'Kom eens hier,' zegt Tom en hij pakt mijn hand.

Smoorverliefd, maar ook bloednerveus schuif ik dichterbij.

Broeierig trekt hij me tegen zich aan.

'Kan het hier wel? Ik bedoel, wat als ze ons straks zien?'

'Wie zou ons moeten zien? Iedereen ligt al te maffen.' Tom veegt een haarlok uit mijn gezicht en zoent me dan vol op mijn mond. Zijn vingers kroelen door mijn haar.

Dit voelt zo fantastisch. Ik vergeet alles om me heen, mijn hersenen lijken wel uitgeschakeld.

Dan duwt Tom me zachtjes naar achteren en gaat half op me liggen. Langzaam glijdt zijn warme hand langs mijn zij naar mijn billen. Voor ik het in de gaten heb, schuift hij hem onder mijn jurkje en begint mijn rug te strelen.

'Eh, nee...' kan ik nog net uitbrengen.

'Waarom niet?' Tom hijgt hitsig in mijn oor.

'Nou... ik vind je echt heel leuk. Maar... is... is het niet te snel?'

'Jij wilt dit toch ook, Pien?'

'Ja, tuurlijk. Maar... nu nog niet.' Ik voel me niet helemaal op mijn gemak. Oké, ik ben stapelgek op Tom en denk de hele dag aan hem. Maar nu al verder gaan dan zoenen en tongen. Hier, midden op het terras... 'Het gaat me te snel, Tom.'

'Te snel? Het is toch lekker? En ik vind je zo bijzonder, zo mooi, zo anders dan die andere meisjes hier.'

'Ja maar...' Ik voel dat ik bloos.

'Hè, toe nou.' Zijn knalblauwe ogen kijken me smekend aan.

'Oké, maar alleen zoenen,' laat ik me overhalen.

'Tuurlijk.' Toms lippen zoeken weer de mijne. En weer schakelen mijn hersenen zich uit. Ik zweef bijna boven de loungebank van geluk.

'Oh Pien,' kreunt Tom, terwijl hij me in mijn nek zoent. 'Vind je dit ook zo geil?'

'Ja-a,' piep ik.

Plotseling zijn Toms handen overal. Ik voel hoe ze de spaghettibandjes van m'n jurkje naar beneden duwen. Hoe ze over de glooiing van m'n borst glijden en daarna over mijn rug. En hoe zijn tong opnieuw mijn lippen streelt. Voor ik het in de gaten heb, heeft hij mijn bh losgemaakt en duwt hij zachtjes mijn jurkje verder naar beneden.

In één klap ben ik bij mijn positieven. 'Nee, Tom,' fluister ik, 'we zouden alleen zoenen.'

Dan buigt hij zich voorover en zijn mond zoekt mijn borst. 'Dit is toch ook zoenen, Pien. Ik bedoel….'

'Ik wil dit niet, Tom…' Ik probeer overeind te gaan zitten, maar hij ligt nog steeds half op me. 'Ik bedoel, we kennen elkaar net. Ik heb wat meer tijd nodig. Ik kan het niet. Nog niet.'

'Maar Pien, je bent zo bijzonder, zo mooi.' Nu probeert hij mijn billen te strelen. Zijn ene hand verdwijnt langzaam omhoog tussen mijn benen.

'Tom! Kappen nou, niet doen.'

'Weet je het zeker?'

'Ja, sorry. Later misschien.'

'Whatever.' Tom zit ineens rechtop. 'Shit, is het al over enen? Moet gaan, we hebben al best vroeg een workshop.'

Wat is dit nou, denk ik. Heb ik iets verkeerds gezegd?

'We zien elkaar morgen wel weer, Pien. Wat dacht je van een ontbijtdate?' Even glijdt z'n hand terloops over m'n wang.

'Heel graag,' stamel ik beduusd.

'Oké, een ontbijtdate dus. Een beetje vroeg, dan zijn we nog lekker met z'n tweeën. En trouwens, weet je wat? Geef even je nummer. Voor het geval ik je niet kan vinden…'

Ik kan alleen maar onnozel hakkelen.

'Goed, genoteerd. See you tomorrow. Enne, wij tweeën samen, dat is voorlopig ons geheimpje.' Voor ik kan antwoorden, zoent hij me nog een laatste keer. Dan staat hij op en verdwijnt in de nacht.

21

'Waaah.' Slaperig rek ik me uit.

Evi ligt nog diep weggekropen in haar slaapzak.

'Hoe laat is het? Moeten we d'r al uit?' murmel ik en draai me nog eens lekker om.

'Wacht even...' Evi pakt haar horloge. 'Bijna half tien.'

'Halluf tien! Kaa-uuu-tee!' Met een ruk schiet ik overeind.

'Hoezo? We hoeven pas om tien uur bij Nikki te zijn.'

'Ja maar, Tom... Tom en ik zouden samen ontbijten. Om negen uur.' In paniek worstel ik me uit mijn slaapzak. 'En ik moet nog douchen, aankleden, en niet te vergeten een beetje wakker worden. Ik zie er 's ochtends uit als een zombie.'

Evi kijkt me wazig aan en begint dan te lachen.

'Wat?'

'O-oh.'

'Wat nou?' Geïrriteerd kijk ik haar aan.

'Ik voel vibes. Heel veel vibes, Pien. Je bent zo in heaven.'

'Ja, lach maar, maar ik ben vet te laat.' Wanhopig stort ik me in de puinhoop en graai naar mijn toiletspullen. Dan duik ik in mijn enorme weekendtas, op zoek naar schone kleren.

'Wat vind je, kan ik dit aan?'

'Wat denk je zelf, Pien. Heb je niet iets hippers?'

'Dit dan?' Uit mijn tas vis ik een spijkerrokje.

Evi knikt goedkeurend.

Ik gris alles bij elkaar en stommel de tent uit. Ongeduldig zwiep ik de handdoek over mijn schouder en klem kleren en toilettas onder mijn arm. In het toiletgebouw verdwijn ik in het eerste de beste lege hokje. Razendsnel kleed ik me uit en spring onder de douche. En nog sneller er weer onder vandaan. Ik staar in de spiegel. Oh My God, mijn haar lijkt wel ontploft. Vlug haal ik er een borstel door en maak een paardenstaart. Tevreden bekijk ik mezelf. Mm, not bad. En dat op de vroege ochtend.

In no time ben ik terug bij de tent.

'Klaar!' Ik smijt de handdoek en toilettas naar binnen.

'Hé joh,' roept Evi.

Maar ik reageer niet, ben al te laat voor mijn date.

In de eetzaal kijk ik zoekend om me heen. Aan de tafels zitten al behoorlijk wat Campers. Maar waar is Tom? Ik zie hem nergens en baal. Waarom ben ik ook altijd te laat. Hij is natuurlijk allang weer weg. Net als ik me wil omdraaien, hoor ik zijn stem.

'Hé hallo, Pien...' Tom komt door de openslaande deuren de eetzaal binnen. 'Ik heb me een beetje verslapen.'

Thank God! Ik ben dan wel laat, maar niet té laat. Met een onnozele glimlach op mijn gezicht kijk ik hem aan. Zijn natte haar hangt in warrige plukjes voor zijn ogen. Met z'n spijkerbroek en zwarte All Stars ziet hij er weer als een hunk deluxe uit. En dan dat strakke witte shirt... nonchalant, sexy en totally hip.

'Hallo...' Ik heb maar weinig tekst.

'Shit, het is alweer kwart voor tien, niet zoveel tijd meer voor onze date.'

'Hoezo?' Ik probeer mijn teleurstelling te verbergen.

'Nou, m'n workshop begint al om tien uur en ik moet m'n gitaar nog stemmen.

'Oh... speel je gitaar?'

'Ja, lead. En jij?'

'Bas. Uh, zie ik je dan wel vanavond bij de karaoke?' vraag ik verrassend dapper.

'Tuurlijk, wat denk jij. Het wordt een vette avond, count me in,' lacht Tom. 'Maarre, wat ik gisteren al zei, het is óns geheimpje. Ik bedoel, jij en ik, gisteren. En vanavond en zo. '

'O...' Even ben ik van mijn stuk gebracht. 'Eh, ja, oké...'

'Goed, tot vanavond dan. Moet nu echt gaan.' Hij loopt naar de deur en draait zich nog één keer om. 'Later!'

Mijn wangen gloeien. Niet te geloven, ik heb Tom uitgevraagd en hij heeft ja gezegd! Vol ongeloof laat ik me op een stoel zakken.

'Wat zit jij dromerig voor je uit te staren.'

Evi komt naast me zitten. Op haar bord liggen minstens vijf bolletjes op elkaar gestapeld.

'Ook een broodje?'

'Heb niet zo'n trek.'

'O, love is absolutely in the air. Is hij net zo leuk als hij eruit ziet?'

'Hij is... Hij is totally cool. Echt superchill. Een hunk, zou Lizzie zeggen.'

Evi glimlacht. 'Je was dus nog op tijd?'

'Nee, maar hij was gelukkig ook te laat. Trouwens, ik of all people heb hem voor vanavond uit gevraagd.'

'Wauw, te gek. Wat zei ie?'

'Ja, hij wil wel...'

'O, dit moet ik Lizzie en Shayla vertellen.'

'Nee, niet doen, Eef!'

'Hoezo nee? Maar gisteren wou je het ze toch...'

'Ja, maar het moet nog even geheim blijven.'

'O, waarom?'

'Dat wil Tom graag.'

'Maar ík weet het toch? En Mike dan? Die is ook niet gek.'

'Ja oké, maar ik bedoel, Lizz en Shayl... Het zijn schatten hoor, maar je kent ze. Net twee wandelende roddelbladen. Als zij het weten, weet heel de wereld het. Nee, echt Eef, je mag er met niemand over praten.'

'Whatever, my lips are sealed. Trouwens, daar heb je ze, onze fashionista's.'

'Nou, dat kan je wel zeggen. Lizzie ziet er weer casual chic uit.'

'Die heeft duidelijk weer lang voor de spiegel gestaan.'

'Ach ja, glamour is nu eenmaal haar middle name. Maar let's face it, ze is er helemaal klaar voor.'

'Waarvoor?'

'Onze workshop natuurlijk.'

22

'Stop even,' roept Nikki boven de muziek uit. 'Jullie performance is best goed, maar ik mis nog iets. Iets... iets... Jullie zijn te gespannen. Te veel gefocust op de techniek. Relax. Laat zien dat je er lol in hebt, dan gaat het vanzelf.'

Ik luister vol interesse. Wat heeft die Nikki een power. En dat we deze kans krijgen. Een workshop, alleen voor ons. Wie had dat van te voren kunnen bedenken.

'Jullie zijn geen solisten, jullie vormen één geheel, één band,' gaat Nikki gedreven verder. 'Samen spelen is niet iets wat je alleen in je hoofd bedenkt, je moet het met je hele lichaam voelen. En vergeet niet, uiteindelijk doe je het met elkaar.'

Shayla kijkt Nikki wat wazig aan.

'En Shayla, ik wil dat je die song nóg sexier brengt. Op het podium mag je best overdrijven. Geloof in jezelf, laat je zien. Entertain! Als zangeres ben jíj het middelpunt.'

Nikki ratelt maar door. Ze overlaadt ons met tips en adviezen. Als een spons zuig ik de informatie in me op. Het is zo veel ineens, het duizelt me een beetje.

Nikki ziet onze vermoeide en verhitte gezichten. 'Goed, het laatste nummer voor vandaag. Kennen jullie *Use Somebody*?'

'Ja, van Kings of Leon. Best rauw en heavy, toch? Hebben we laatst nog geoefend, bij mij thuis.' Evi zit opvallend zelfverzekerd achter haar drumstel.

'Oké, begin maar. En denk eraan: ik wil chemie zien.'

'De toonsoort is A, toch?' vraag ik voor de zekerheid.

Als Nikki knikt, beginnen we aan het intro. Eerst nog wat

aarzelend, maar al snel stoomt en zindert het in het lokaal.

Lizzies backing vocals klinken overtuigender dan ooit. Haar angst om er nét naast te zitten, is ze duidelijk kwijt. Ze focust zich zo op Shayla's zang, dat ze bewust op de achtergrond blijft en haar vriendin alle credits geeft.

'Dit is het! Dit bedoel ik. Hou vast,' motiveert Nikki.

Onverstoorbaar, maar dolgelukkig met het compliment, ronden we het nummer af.

'Helemaal top, girls. Dát was pas chemie.'

'Echt?'

'Absoluut. Maar ik wil nog wel een keer oefenen deze week.'

'Meen je dat?'

'Ja, en dan met Daan erbij. Hij kan wat meer op jullie instrumenten focussen. Jullie samenspel moet nog vloeiender, maar dat gaat zeker lukken. Wat vinden jullie van donderdag? Ik kijk wel even of dat in te plannen is.'

Nog een workshop… Ik weet niet wat me overkomt.

De ochtendsessie met Nikki is behoorlijk uitgelopen. We zijn er nog helemaal vol van, maar veel tijd om te kletsen hebben we niet. Ook niet om te lunchen trouwens. De volgende workshop staat alweer op het programma.

'Iedereen een cola?' vraagt Evi kordaat. 'En als Shayla en Lizzie nou een paar broodjes scoren, kan Pien mooi een tafeltje in de schaduw zoeken.'

Ik knik afwezig. Ik ben er met mijn gedachten niet bij. Het zomerkamp, de workshops, ik vind het allemaal te gek. Maar eerlijk gezegd ben ik kapot. Echt goed geslapen heb ik niet. Verliefd zijn is spannend, maar ook doodvermoeiend. Hoe laat lag ik er gisteravond ook alweer in? En waar zou Tom trouwens zijn? Hoopvol scan ik het terras. Een knipoog, een smile, een oogopslag die me doet smelten, dat heb ik nu nodig. Maar Tom is in geen velden of wegen te bekennen. O ja, wat vroeg Evi ook alweer? Een tafeltje in de schaduw, voor de lunch... Uitgeput laat ik me op de eerste de beste stoel zakken.

'Hallo Pien, zit niet zo te dromen. Kaas of kaas-ham?' Shayla legt een stapel tosti's op tafel. 'Even opschieten, anders zijn we nooit op tijd voor danceclass.'

'By the way, ik moet me nog wel even omkleden,' zegt Lizzie. 'Ik kan toch moeilijk zo op het podium verschijnen.'

'En ik dan? Moet ik wel voor paal staan in m'n rokje. Ik moet ook m'n capri nog aan, hoor.'

Ik slaak een zucht en prop een hap naar binnen. Met moeite, dat wel. Maar ik moet nu echt wat eten, vanochtend kreeg ik ook al geen hap door mijn keel. En het is nog altijd snoeiheet.

Evi staat op. 'Nou girls, ik ga vast. Songwriting begint zo. Laters!'

'Have fun.'

'Neem die tosti maar mee, Pien. Effe tempo,' roept Lizzie. 'Ik heb geen zin om te laat te komen en een sneer van die Ilona te krijgen.'

Ik schrik wakker. 'O shit, die gefrustreerde bitch zit ook bij dance.'

'Niks van aantrekken. Met z'n drieën kunnen we haar wel hebben.'

'En als ze echt hysterisch wordt, flikkeren we haar gewoon van het podium,' lacht Lizzie.

Tien minuten later stuiven we met z'n drieën de schuur binnen.

'Ah, kijk eens aan, de laatste dancers. Just in time.' Vince verwelkomt ons enthousiast. 'Ga maar snel het podium op. Even warming-uppen.'

Ilona staat al aanstellerig te stretchen. Dan kijkt ze op en werpt me een valse blik toe. Ik geef geen krimp.

'Oké popjes, we gaan beginnen. Vanmiddag wil ik die choreografie er perfect in hebben.'

De les is bijna op z'n eind. Vince doet nog een laatste keer die speciale draai voor.

'Look popjes, eerst naar links, dan to the right. En denk eraan, altijd smoothly vanuit de hips.'

Om de beurt doen we Vince na.

Terwijl ik sta te wachten, zie ik ineens Evi staan. Djiezz, is het al zo laat, is ze al klaar?

Ik zwaai even en enthousiast zwaait ze terug. Dan loopt ze richting het podium. Vlak ervoor blijft ze staan.

Dan heb ik weer alleen aandacht voor de les en de uitleg van Vince.

'Als je danst moet je niet teveel nadenken, niet twijfelen,' gaat Vince vol energie verder. 'En je moet elke pas duidelijk laten zien. Nee Pien, niet naar je voeten kijken. En Maartje, armen stil, shoulders laag. Alles draait om je houding.'

Ik ben bloedfanatiek. Wij allemaal trouwens. We willen Vince laten zien dat we goed zijn.

Nog één keer legt Vince de totale choreografie uit. Dan stapt hij van het podium. 'Oké, wat denken jullie, zitten de passen d'r in?'

We knikken.

'Right. Dan nu vanaf het begin. Nog even vlammen!'

'Nog even vlammen, ik kán niet meer.'

'Kom op Lizz, nog één keer die benen in de lucht, daarna mag je aan het infuus,' grap ik.

'Girls, zijn jullie er klaar voor? Jij ook, Pien? Let's go!' Vince drukt op play en met het volume op tien dreunen zware bassen door de schuur. 'Five, six, seven and eight!'

Op het juiste moment zetten we onze passen in. Supergeconcentreerd bewegen we over het podium.

'Joehoe, swinguh,' hoor ik Evi roepen.

Shayla, Lizzie en ik blijven gefocust. O jee, nu komt dat kapot moeilijke stuk. Blijven tellen en nou eindelijk tegelijk m'n benen zús en m'n armen zó bewegen. Niet te geloven... in één keer goed!

'Superdepuper, popjes. Fabulous!' Vince staat voor het podium goedkeurend te knikken.

Wauw... ik kan het. Ik kan het! Soepel dans ik verder op de

opzwepende beat. Als in trance staar ik voor me uit. Dan, opeens, zie ik de deur open gaan. Hé, is dat Tom, daar in dat felle zonlicht? Staat hij daar echt? My heart skips a beat. Hij is ook zo vet cool. Zijn diepblauwe ogen, die waanzinnig lange wimpers, die zinderende zoen... Het is overduidelijk, ik ben hopeloos verliefd.

Hallo daar brein, blijven focussen. Voor, twee, drie, draai, opzij, twee, drie, draai en achter... Of was het nou opzij? Shit, nu ben ik de tel kwijt. Als een eersteklas stuntel sta ik op het podium. In paniek kijk ik naar Vince, misschien heeft hij een aanwijzing? Het angstzweet breekt me uit. O please, ik weet het niet meer. Wat moet ik doen?

Plotseling zie ik vanuit mijn ooghoek een schim op me af komen. In een reflex spring ik opzij, maar ik struikel en voor ik het besef stort ik van het podium. Met een enorme smak beland ik op de grond, m'n hoofd keihard op de stenen vloer. Verdwaasd blijf ik liggen. Er is iets helemaal mis, ik voel het...

M'n hoofd klopt gigantisch. En dan die stekende pijn, het lijkt wel of m'n hersenen uit elkaar spatten. Voorzichtig wrijf ik over m'n gezicht. Er plakt iets warms aan mijn vingers. Wazig staar ik naar mijn hand. Bloed... Ik probeer iets te zeggen, maar er komt geen geluid over m'n lippen. Versuft kijk ik om me heen, dan begint alles te draaien en wordt het zwart voor m'n ogen.

23

Ergens in de verte hoor ik stemmen. Langzaam doe ik mijn ogen open en zie Vince, Evi en Lizzie. En Shayla, en Maartje, en Tessa en… Allemaal staren ze me geschrokken aan. Het duizelt me nog steeds. Mijn ogen voelen zwaar en met een zucht doe ik ze weer dicht.

'Pien… Pien… Kan je me horen?' Vince klinkt bezorgd. 'En kan iemand die bak herrie uitzetten?'

Ik ben er wel en ook weer niet. Het is net alsof ik alles van een afstand meemaak. Vince' stem klinkt ver weg. Als de muziek stopt, is het even doodstil in de schuur. Dan dringt het geroezemoes tot me door. Opnieuw doe ik mijn ogen open. Vaag zie ik wat er om me heen gebeurt.

Voorzichtig veegt Vince mijn haar opzij. 'Ai, dat is een diepe snee boven je oog, half in je wenkbrauw. Het bloedt als een rund.'

'Oh My God…' Vol afschuw slaat Shayla haar hand voor haar mond.

'Gaat ze dood?' gilt Lizzie hysterisch.

'Duh, stel je niet aan. Natuurlijk gaat ze niet dood.' Ilona buigt zich voorover. Haar gezicht hangt bijna boven mijn hoofd. 'Het valt heus wel mee en…'

Van ellende voel ik me weer wegzakken.

'Pien… Pien!' klinkt het nu dwingender. 'Wakker blijven!'

Moeizaam doe ik mijn ogen een stukje open. Waarom lig ik hier? En waarom staan ze allemaal om mij heen? Ga nou maar weg, laat me met rust. Plotseling dringt de bonkende pijn in mijn hoofd weer tot me door. Die danspassen... Tom... een klap... mijn hoofd, bloed ... Wat is er gebeurd?

'Ik moet even naar je wenkbrauw kijken, Pien. Het bloedt behoorlijk.' Zachtjes raakt Vince mijn wenkbrauw aan.

'Au,' kreun ik. Langzaam kom ik wat bij mijn positieven.

'Heeft iemand misschien een towel of iets anders om all that blood te stelpen?' Vince kijkt vragend om zich heen.

'Eh,' stamelt Maartje. 'Zal ik even bij de bar kijken...'

'Yes popje, a clean towel, please. En hurry.'

Ik hoor Maartje wegrennen.

'Vooruit meiden, aan de kant. Anders krijgt ze geen lucht,' commandeert Vince.

Een paar meiden doen wat stappen naar achteren. Alleen Evi, Lizzie en Shayla blijven staan.

'Jullie ook, ladies. Hup, moven.'

'Hier.' Maartje geeft Vince een handdoek.

'Thanks.' Vince drukt de doek zachtjes tegen de snee in mijn wenkbrauw. 'Daar heb je geluk mee gehad,' mompelt hij. 'Een paar centimeter naar links, tegen je slaap, of je oog, en het had slechter kunnen aflopen.'

Ineens zie ik Fons naast Vince knielen, een verbandtrommel in zijn hand. 'Tessa kwam me halen. Wat is er gebeurd?'

'Van het podium gevallen, met haar head tegen een stoel geklapt en vervolgens op de grond gecrasht,' antwoordt Vince. 'Kijk jij er eens naar.'

'Mm, dat is een behoorlijke snee.'

'Ja, looks pretty bad.'

'Volgens mij moet het gehecht worden.'

Hechten? Ik schrik en probeer overeind te komen. 'Eh, het gaat wel weer, geloof ik.' Een golf van pijn schiet meteen door mijn hoofd. Alsof er een goederenwagon door mijn hersenen dendert. Alles draait en ik voel het zuur omhoog komen. 'Ben... opeens... een beetje misselijk,' piep ik.

'Mm, ze kan ook best een hersenschudding hebben. Ze moet

echt naar het ziekenhuis. Even laten checken.'

Vince draait zich om naar Fons. 'Rij jij?'

'Sorry Vince, ik moet echt nog van alles regelen voor vanavond. En het is denk ik ook beter dat jij gaat. Jíj hebt gezien wat er is gebeurd. Neem mijn auto maar.'

Vince knikt. 'Pien, hoor je me? We gaan even naar het ziekenhuis. Kun je dit zelf tegen je hoofd aanhouden?'

'J-ja...' stotter ik. Trillend druk ik de bebloede handdoek tegen mijn wenkbrauw. Au, dat doet zeer.

Voorzichtig tilt Vince me op en draagt me de schuur uit. Achter Fons aan loopt hij naar het parkeerterrein.

Ik kijk over Vinces schouder en zie Evi, Shayla en Lizzie half in shock staan. Wezenloos staren ze voor zich uit.

'Wacht! Ik ga mee,' gilt Evi ineens en ze trekt een sprintje.

Niet veel later legt Vince me op de achterbank. Evi schuift hijgend naast me.

Dan start hij de auto en draait zich om. 'No worries, Pien. Het komt vast allemaal goed. Probeer alleen wel wakker te blijven. Over een kwartiertje zijn we in het ziekenhuis.'

24

'Rustig stil blijven liggen.' Behendig dept de verpleegster – Anne heet ze, geloof ik – de snee in mijn wenkbrauw schoon.

'Au, dat prikt!'

'Weet ik, maar het moet. Even doorbijten nog.' Anne kijkt nog eens goed naar de wond. 'Gelukkig krijg je geen hechtingen, maar zwaluwtjes. Daar houd je nauwelijks een litteken aan over. De dokter komt ook zo.' Dan geeft ze me een bemoedigend klopje op mijn schouder en loopt de kamer uit.

Evi en ik blijven alleen achter.

'Waar is Vince?' Voorzichtig ga ik verliggen op de smalle behandeltafel. Het papieren laken kraakt bij elke beweging.

'Op de gang. Die verpleegster vond het een beetje te druk worden. Je weet wel. Dus bood hij aan om buiten te wachten.'

Dan gaat de deur open. Een lange man in witte doktersjas komt de behandelkamer binnen. Hij geeft me een hand. 'Hallo, ik ben dokter Ter Velde.'

'Pien. Pien van Bennekom.'

'En Evi Jaspers.'

De dokter schuift een krukje bij en gaat zitten. 'Zo, laat mij eens naar je verwondingen kijken. Je hebt nogal een smak gemaakt, heb ik begrepen.' Hij bekijkt de snee en voelt zachtjes aan mijn wenkbrauw. 'Dat gaan we eens mooi dichtmaken. Met zwaluwtjes, een soort pleistertjes, zeg maar.'

Ik voel het bloed uit mijn gezicht wegtrekken. Benauwd staar ik hem aan.

'Het doet geen pijn, hoor.'

Anne komt weer binnen en geeft hem een paar kleine, witte stripjes.

'Even goed stil liggen…' Bedreven zet de dokter de zwaluwtjes vast. 'Zo, dat is klaar. Hoe voel je je verder?'

'Een beetje duizelig, en pijn in m'n hoofd. En mijn elleboog doet ook behoorlijk zeer.'

'Laat 's kijken.' De arts pakt mijn arm. 'Dat valt wel mee. Een beetje geschaafd en beurs. Wordt waarschijnlijk een mooie, blauwe plek. Maar niets om je zorgen over te maken.'

Dan pakt hij een lampje en schijnt ermee in mijn ogen. 'Pien, weet je nog wat er gebeurde voor je viel?'

'Uh… ongeveer. Ik was aan het dansen… met Shayla en Lizzie. Het ging net zo lekker. Ik deed dat moeilijke stuk in één keer goed.'

'En wat nog meer?'

Even is het stil. Ik probeer het voorval voor de geest te halen. 'Een keiharde beat, en danspassen… En toen… toen zag ik Tom. Toch?'

Ik kijk naar Evi. Bij het horen van Toms naam zie ik haar opveren.

'En wat herinner je je nog meer?'

'V-verder niets… geloof ik.'

'Oké. Wat weet je nog van daarna? Na die val, bedoel ik.'

'Nou, ik lag op de grond en… en Vince tilde me op om naar het ziekenhuis te gaan. Iedereen stond om me heen. Staarde me aan. Geschrokken en zo.'

Dokter Ter Velde doet nog wat testjes. 'Mm,' zegt hij dan. 'Behalve die snee boven je oog, heb je waarschijnlijk ook een lichte hersenschudding.'

'O, wat betekent dat…?'

'Door de klap op de grond hebben je hersenen een flinke optater gehad. Ze zijn zeg maar letterlijk "door elkaar geschud". Dat komt vanzelf weer goed, maar je moet het wel even rustiger aan doen. Voorlopig dus geen danslessen meer.'

'Moet... moet ik... naar huis?' In paniek kijk ik naar Evi. 'Moet ik nu thuis op mijn bed gaan liggen?'

'O nee, alstublieft,' begint Evi. 'Ze is op zomerkamp, met mij en twee andere vriendinnen.'

'Ik heb er ook heel lang voor gespaard. Met die stomme folderwijk.' De tranen prikken achter mijn ogen. Ik wil niet naar huis!

'Zo erg is het ook weer niet,' sust dokter Ter Velde. 'Ik wil alleen dat je het een paar dagen rustiger aan doet en kijkt hoe het gaat. Ik wil juist niet dat je de hele dag op je bed blijft liggen, maar gewoon dingen gaat doen. Zolang het maar geen wilde dansen zijn, of andere acrobatische toeren. Van mij mag je best gezellig met je vriendinnen op kamp blijven. Je zult alleen wel wat sneller moe zijn, hoofdpijn krijgen of weer duizelig worden. En als je moe wordt, wil ik dat je even gaat liggen en eventueel een dutje doet. Maar vier vooral lekker vakantie met je vriendinnen.'

Ik haal opgelucht adem.

'Voor de zekerheid houden we je nog wel een nachtje hier,' gaat de dokter geroutineerd verder. 'Gewoon, ter observatie.'

Opnieuw voel ik de tranen prikken. 'M-moet dat echt?'

'Ja, maar maak je niet ongerust, morgen mag je weer naar huis. Naar je vriendinnen en het kamp, bedoel ik.'

Ik zucht en kijk Evi wanhopig aan. Hoe moet het nou met Tom vanavond? Straks denkt ie nog...

'Ik zie je morgen nog wel even. Dag Pien, dag Evi.' Dokter Ter Velde geeft ons allebei een hand en voor ik nog maar iets kan vragen, is hij weg.

'Zal ik Vince halen?' oppert Evi.

Ik wil ja knikken, maar dan knalt de deur open en stormt Vince de behandelkamer binnen.

'M'n popje! Hoe gaat het? Die knappe dokter zei dat ik naar binnen mocht. Wat zei hij?'

'De snee is gehecht en ze heeft een lichte hersenschudding,' antwoordt Evi.

Ik staar somber voor me uit. Nee, niet huilen. Niet met Vince erbij. Nu ik rechtop zit, voel ik me meteen weer duizelig. En ook mijn hoofd begint opnieuw te bonken. Snel ga ik weer liggen.

'And now what?'

'Ze moet het rustig aan doen, zegt de dokter. Voorlopig geen danceclass meer. Eigenlijk de rest van de week niet...'

'Geen danceclass?'

Evi schudt haar hoofd.

'Maar popje, het ging net zo goed. Ik was juist trots op je. O, what a shame. Nou ja, weet je, dan kom je gewoon gezellig kijken.'

Met moeite tover ik een flauwe glimlach op mijn gezicht. Hij bedoelt het goed, die maffe Vince.

'Ze moet vannacht nog wel in het ziekenhuis blijven,' gaat Evi verder. 'Ter observatie.'

'Poor darling.'

Dan kan ik me niet meer inhouden. Normaal ben ik niet zo emo, maar nu rollen dikke tranen over mijn wangen.

'O dear.' Vince gaat naast me op het bed zitten en slaat zijn arm om me heen. 'Je bent natuurlijk ook enorm geschrokken. Kom maar, huil maar even lekker uit.'

Heel langzaam ontspan ik een beetje.

'Ik zal zo je parents even bellen,' zegt hij als ik een beetje bedaard ben. 'Ze moeten weten wat er gebeurd is.'

'Moet dat echt? De dokter zei toch dat ik gewoon op kamp mocht blijven.'

'Ja,' bemoeit Evi zich ermee. 'Ze moet het alleen wat rustiger aan doen.'

'En als ik moe ben, ga ik gewoon even liggen, of een dutje doen. Je hoeft echt niet te bellen, hoor.' Als mijn moeder dit hoort! Die schiet meteen in de stress. Dan moet ik van haar vast meteen naar huis.

'Wij zijn hier deze week wel verantwoordelijk voor je. Ik zal echt met ze moeten overleggen of je nog mag blijven. Weet je, waarom bellen we nu niet even?'

'Eh, mijn moeder is alleen. Enne… ze is nogal snel ongerust,' begin ik.

'Dan bellen we vanavond toch. Is je vader dan thuis?'

Ik zie Evi nerveus gebaren naar Vince, maar hij ziet het niet.

'Nee, mijn vader is dood…'

Even valt er een ongemakkelijke stilte.

'O sorry… Ik, uh… ik bedoel, I didn't know.'

'Als er vroeger iets mis was, ging ik meteen naar mijn vader. Die bleef altijd heel relaxed.' Ik bijt op mijn lip. Soms mis ik hem zo. 'En mijn moeder is juist enorm bezorgd. Snel ongerust, en zo. Maar ja, ze staat er natuurlijk wel alleen voor. Alleen met mij. Daarom wil ik het haar liever niet vertellen.'

'Maar ze ziet toch straks die snee in je wenkbrauw? Dan schrikt ze zich helemaal wezenloos.'

'Ja, maar…'

'Weet je, volgens mij moet je het juist wel vertellen. Kun je gelijk zeggen dat het best meevalt. Wil je anders dat ik het doe? Of nee, weet je wat? Jij begint en als het niet gaat, dan neem ik het gesprek over. Right?'

'Eh, oké dan.' Er zit niets anders op. Ik moet m'n moeder bellen.

Evi pakt haar mobiel en zoekt het nummer. Dan geeft ze me de telefoon.

'Hallo mam.' Ik doe mijn best vrolijk te klinken.

'Hé meis, wat leuk dat je belt. Hoe gaat het? Is het gezellig met je vriendinnen? En hoe zijn je workshops? Heb je al veel geleerd? Vertel!'

'Ja, leuk, maar eh…'

'Wat is er? Je klinkt zo mat.'

'Nou, ik… eh…' Ik weet niet wat ik moet zeggen. Mijn keel wordt dik en opnieuw voel ik de tranen opkomen. Geef maar aan mij, gebaart Vince. Maar ik schud van nee. Dit moet ik zelf doen.

'Mam,' begin ik weer, 'niet schrikken hoor, maar ik ben gevallen met danceclass en nu ben ik in het ziekenhuis.'

'Wat is er gebeurd? Is het erg?'

Ik haal diep adem en vertel haar dan eerlijk het hele verhaal.

'Mam? Ben je er nog?' vraag ik als het stil blijft.

'Ja…'

'Sorry, het gebeurde gewoon… Ik kon er echt niks aan doen.'

'Weet ik toch. Ik wou alleen dat ik bij je kon zijn.'

'Ik ben niet alleen. Evi is bij me. En Vince, de dansleraar.'

'Gelukkig. En nu? Wat zegt de dokter? En wat vinden ze bij Camps? Die Vince, wat vindt hij? Kun je echt wel blijven?'

'Ja, heus, dat lukt wel. Van de dokter moet ik alleen een nachtje in het ziekenhuis blijven, maar morgen mag ik weer terug. Moet het dan wel rustig aan doen.'

'Je laat me wel schrikken, Pien. Maar fijn dat je belt.'

'Weet ik mam. Trouwens, het gaat nu al een stuk beter. Zal ik morgen weer even bellen?'

'Ja meis, dat is goed. En rust maar lekker uit.'

'Zal ik doen. Dag mam.'

'Dag Pien, dag lieverd.'

Met een zucht hang ik op en staar naar het plafond. Ik ben ineens zo moe.

'Gaat het?' Evi kijkt me meelevend aan.

Ik knik.

'Nou, that wasn't too bad, toch?' zegt Vince.

Even zitten we met z'n drieën, zonder iets te zeggen. Dan zie ik Anne ineens bij de deur staan. Ze wenkt Vince. Zachtjes hoor ik ze samen praten. Zo zachtjes dat ik ze niet kan verstaan.

Even later gaat Vince op de rand van mijn bed zitten.

'Ik hoor net van de verpleegster dat je zo naar een andere afdeling gaat. Met een echt bed, you know. Weet je wat, ik breng Evi terug en dan kom ik zo nog wat spulletjes brengen.'

'Wil je dan ook mijn mobiel meenemen?'

'Of course. Kom Evi, we gaan.'

'Dag Pien,' zegt Evi zacht. 'We bellen of sms'en vanavond nog wel.'

'Later,' fluister ik.

25

Moederziel alleen lig ik in bed. Oké, er ligt geloof ik nog iemand naast me, maar ik kan totaal niet zien wie of wat. Het gordijn om dat bed is de hele tijd dicht. Er klinkt alleen af en toe gehoest.

Anne heeft me net iets te eten gebracht. Op het dienblad liggen twee boterhammen, een plak kaas in plastic, een kuipje aardbeienjam, fruit en iets van yoghurt. Echt veel trek heb ik niet. Een doffe, zeurende pijn klopt achter mijn ogen en mijn hoofd voelt alsof er een bulldozer overheen is gewalst. Af en toe komt er een golf van misselijkheid opzetten. Voorzichtig voel ik weer aan mijn wenkbrauw. Het zag er net in de spiegel niet uit: blauw, paars, gezwollen. Komt dit ooit weer goed?

Met tegenzin knabbel ik wat aan een boterham met jam en neem een slokje thee. Opeens moet ik aan Tom denken. Vanavond hebben we een date, en nu lig ik hier. Hoe moet dat nu, hoe moet ik hem laten weten dat ik niet kan? Ik heb niet eens zijn nummer… Uit mijn keel ontsnapt een onhoorbaar snikje.

De deur gaat open en Vince' persoonlijkheid vult in één keer de kamer. Raar, maar bij hem voel ik me op mijn gemak.

'Hé Pien, how are you?'

'Mwah, beetje moe. En hoofdpijn. En misselijk. Nou ja, af en toe dan.'

'Ik heb hier wat spulletjes, je toilettas en zo. En je mobiel. Evi heeft alles bij elkaar gezocht in de tent. En dat duurde even…'

Ik glimlach geforceerd. Vince heeft dus ook kennis gemaakt met mijn chaos.

'Leun eens een beetje naar voren.'

Gelaten doe ik wat hij zegt en Vince klopt mijn kussen op. 'Zo, dat zit vast stukken beter.' Dan schuift hij een stoel naast mijn bed en gaat zitten. 'Ik heb het ook even met Fons besproken. Wat er gebeurd is en dat je vannacht hier moet blijven.'

'Nee...' De schrik slaat me om het hart. Gaat hij nu zeggen dat ik tóch naar huis moet?

'Rustig maar, ik heb hem verteld wat de dokter heeft gezegd. En dat je zelf je moeder al hebt gebeld. We hebben afgesproken dat we het morgen even aankijken. Kijken hoe het gaat. Dan mag je toch weg hier?' Hij gebaart om zich heen om aan te geven dat hij het ziekenhuis bedoelt.

'Ja,' zeg ik zachtjes.

Het gesprek stokt. Even hangt er een beklemmende stilte. Maar waarom?

'Stupid hè, van vanmiddag. I mean, ik wist niet dat je vader overleden was,' zegt Vince dan eindelijk.

Opgelucht haal ik adem. 'Je kon het ook niet weten.'

'Ja, maar toch, ik dacht niet na. Ik ben ook zo'n terrible flapuit.'

'Echt, het geeft niks. Hij is al ruim drie jaar dood.'

'Maar het blijft heftig. I mean, ik heb gelukkig allebei mijn ouders nog, maar die zie ik niet zo vaak. Ze wonen nog in the States. En daar kom ik niet elke maand, laat staan elke week. Nee, ik zie ze hooguit een of twee keer per jaar. Daar heb ik het soms best moeilijk mee. Ik mis ze af en toe best.'

'Ik ook,' fluister ik. 'Ik bedoel, mijn vader was alles voor me. Hij ging altijd mee naar volleybalwedstrijden, bracht me naar vriendinnen, hielp me met mijn huiswerk. En af en toe gingen we samen op pad, met z'n tweeën. Of als mijn moeder een vriendinnenweekend had, maakten wij er thuis een feest van.'

'How did he die?'

Ik slik even.

'Sorry, doe ik het weer. Shut up, Vince. Je hoeft het niet te vertellen, hoor.'

'Hij had kanker. Alvleesklierkanker. Het ging heel snel.' Ik zie de ontzetting op Vince' gezicht, maar toch ga ik verder. Gek, het eerste jaar na mijn vaders dood heb ik er geen traan om gelaten. Dat kon ik gewoon niet. En nu, nu hoor ik steeds een snik in m'n stem. Maar ik moet mijn verhaal gewoon kwijt. 'De laatste paar weken heeft hij in het ziekenhuis gelegen. Hij wilde zo graag beter worden, hij was zo positief, maar op het laatst ging het niet meer.'

'Popje…'

Shit, daar zijn die tranen weer. Met het laken veeg ik mijn ogen droog.

'Wil je het misschien ergens anders over hebben? Of wil je dat ik wegga?' Bezorgd kijkt Vince me aan. Hij is echt heel aardig.

'Uiteindelijk zijn we verhuisd,' ga ik door. 'Weg van vroeger en al die herinneringen. Mijn moeder kon er gewoon niet meer tegen, ze wilde een frisse start maken. Maar voor mij hoefde het niet. Ik miste juist die herinneringen. Ons huis, school, m'n vrienden. Ik heb zo moeten wennen…'

'I understand.'

'… maar gelukkig heb ik daardoor wel Shayla, Lizzie en Evi leren kennen.'

'That's nice.'

'We zijn Best Friends Forever, weet je. Vooral Evi, daar heb ik het meeste mee. Maar met z'n vieren hebben we de grootste lol, en dan bedoel ik niet alleen met muziek.'

Op Vince' gezicht verschijnt een glimlach. 'Dat heb ik gemerkt. Jullie vier zijn really connected, dat zag ik meteen. Neem nou vanmiddag. Je vriendinnen waren behoorlijk geschrokken en leefden zo met je mee. Maar genoeg gepraat. Ik ga, dan kun jij goed uitrusten. Dat moet.'

'Ik ben ook best moe.'

'Goed, kom ik je morgen weer ophalen. Bel je me even, als je weg mag van de dokter?'

Het is weer stil om me heen, zelfs geen gehoest. Alleen wat voetstappen op de gang. Ik staar naar het plafond en voel me opeens zo klote. Djiezz, wat ben ik toch een onhandige muts. Crashen van het podium, niet te geloven. En dat met al die meiden erbij. O nee, volgens mij heeft zelfs Tom het gezien. Ik schaam me dood. By the way, waarom heeft ie me nog niet gebeld? Misschien heeft hij al ge-sms't, maar heb ik het niet gehoord. Moeizaam kom ik overeind en pak m'n mobiel van het tafeltje. Maar nee, geen sms. En ook geen gemiste oproep. Diep teleurgesteld laat ik me weer achterover zakken. Zou hij m'n nummer soms kwijt zijn? Ik moet nú Evi bellen. Ze weet vast meer.

'Pien, ben jij dat?'

'Ja, wie anders.' Ik probeer opgewekt te klinken, maar het lukt me niet. 'Waar zit je, Eef?'

'In de tent, met Shayla en Lizzie. Wacht, ik zet hem even op de speaker.'

Ik wil nog nee roepen, maar het is al te laat. Op de achtergrond hoor ik Shayla en Lizzie uitgelaten gillen. Daar gaat mijn kans om Evi uit te horen over Tom.

'Zijn jullie niet naar karaoke?' vraag ik verbaasd.

'Nee, geen zin. Zonder jou is er ook niks aan.'

'En wat moeten wij nou met karaoke. Geef mij maar het echte werk!'

'We zijn eigenlijk ook wel moe. Liggen gezel met z'n drieën in de tent van Shayl en Lizz. Beetje krap, als worstenbroodjes in onze slaapza....' Evi stopt abrupt. 'Dacht net aan je.'

'Hoe gaat ie?' tettert Lizzie er doorheen. 'Wedden dat er in het ziekenhuis zo'n ongelofelijk knappe dokter rondloopt die je van top tot teen heeft onderzocht. Je weet wel, net zo een als in die serie. Met zo'n sexy wittetandensmile en van die lange wimpers.'

'Nou ja, Lizzie, doe effe normaal. Pien ligt daar met een hersenschudding. Ze heeft wel wat anders aan haar hoofd.'

'Over m'n hoofd gesproken, ik ben best moe. Ga zo pitten en als ik morgen wakker word, is alles vast stukken beter. Ben ik gauw weer bij jullie.'

'Slaap lekker.'

'Miss you.'

'Ik jullie ook.' Met een zucht druk ik het gesprek weg. Shit, geen woord over Tom. Ik had gewoon geen kans ernaar te vragen, dan zouden Shayla en Lizzie het ook horen. En dat wil ik niet, ik heb het Tom beloofd. En Evi hield natuurlijk haar mond, die weet dat het nog geheim is. Ik zal tot morgen moeten wachten. Er zit niets anders op.

26

'Hou het wel goed in de gaten, Pien. Blijf je nou na een week of twee nog klachten houden, dan wil ik dat je naar je huisarts gaat.' Dokter Ter Velde staat op en geeft me een hand. 'Afgesproken?'

Ik knik.

'Nou, veel plezier dan nog.'

Even later zitten Vince en ik in de auto. De hele weg naar Camps zeggen we geen woord, maar de sfeer voelt goed. Ik leun achterover, m'n ogen dicht. Trouwens, was vanochtend niet die workshop basgitaar? Jammer, had ik me best op verheugd. Nou ja, ik hoef in ieder geval niet naar huis.

Als Vince de auto parkeert, blijven we nog even zitten.

'Nou, zullen we dan maar eens kijken hoe het vandaag gaat? Als je je niet lekker voelt, kom je gewoon even naar me toe.' Hij kijkt me lief aan. 'Deal?'

'Deal.'

Samen lopen we naar de tent.

'Hé, daar is ze!' gilt Lizzie enthousiast.

M'n drie vriendinnen vliegen overeind en rennen me tegemoet.

'Hoe gaat ie?'

'Mag je echt blijven?'

'Laat eens zien, is het gehecht?'

'Girls, girls,' komt Vince tussenbeide. 'Even rustig. Ze komt net uit het hospital. Ze moet het van de dokter rustig aan doen. Come on, ze heeft een terrible wond bij haar wenkbrauw en een lichte hersenschudding. Dus… relax ladies. Laat Pien er even door zodat ze kan gaan zitten.'

Hij pakt me weer bij mijn arm en dirigeert me naar de tent. Langzaam laat ik me op een matje zakken. Ik voel me nog steeds niet helemaal top, maar wil me niet laten kennen.

Vince draait zich om naar de anderen. 'Zullen jullie sweet voor haar zijn. Ze mag zich niet te druk maken van de dokter. Maar, bij jullie is ze in goede handen, toch?'

'Tuurlijk.' Lizzie, Evi en Shayla zien er blij uit. Blij mij weer te zien?

'Right, dan ga ik maar weer. Take it easy, Pien.'

'Doe ik, maar danceclass zit er even niet in.'

'Geeft niets. Get well soon.'

'Vertel, hoe was het in het ziekenhuis?'

'Nee, ze moet eerst zeggen wat er gisteren nou precies gebeurd is.' Lizzie kan haar nieuwsgierigheid nauwelijks bedwingen. 'Waarom donderde je nou van dat podium?'

'Ik… Ik… Het ging allemaal zo snel…' Ik twijfel. Zal ik Lizzie en Shayla toch over Tom vertellen? Ze zijn ten slotte m'n beste vriendinnen. Nee, beter van niet. Heb ik hem beloofd. 'Ik weet het niet meer,' zeg ik. 'Het ging gewoon ineens verkeerd.'

'Het is allemaal mijn schuld dat je bent gevallen.' Shayla staart sip voor zich uit. Haar vingers trekken doelloos grassprietjes uit de grond.

'Hoezo?' Ik begrijp er niets van. Waar hééft Shayla het over?

'Nou, het ging net zo goed bij jou. Toch? Volgens mij deed je zelfs dat moeilijke stuk perfect. En toen, toen botste ik ineens keihard tegen je aan. Ik had gewoon beter op moeten letten. Vind het zo erg voor je. Het is echt mijn schuld.'

'Hoezo, jouw schuld?' Evi kijkt verbaasd naar Shayla. 'Pien stond ineens stil en bewoog toen de verkeerde kant op. Ik bedoel, ik vind het ook lullig voor je Pien, maar Shayla botste niet tegen jou aan, maar jij tegen haar. Ik zag het gebeuren, stond vlak voor het podium. Echt, het was jouw schuld niet, Shayl.'

'Meen je dat? Maar wat ging er dan mis?'

'Geen idee,' antwoordt Lizzie. 'Ik heb het niet goed gezien. Was zelf zo met die passen bezig. En trouwens, ik stond helemaal aan de andere kant. Maar effe serieus, je moet ergens door zijn afgeleid, Pien. Maar wat?'

O nee, hebben ze Tom soms in de schuur gezien? Ik pijnig mijn door elkaar geschudde brains.

'Doet het erg pijn, die snee? En een hersenschudding... Heftig hoor.' Shayla kijkt nog altijd schuldbewust.

Ik duw mijn haar opzij en laat de zwaluwtjes in mijn wenkbrauw zien. Blij dat we van onderwerp veranderd zijn.

'Wow, dat ziet er vet stoer uit.' Lizzie kijkt bewonderend. Jaloers bijna.

'Het zijn een soort pleisters. Deed bijna geen pijn. En die hersenschudding valt ook best mee. Heb alleen soms wat hoofdpijn. En af en toe ben ik een beetje duizelig. Maar als ik zo zit, gaat het best wel.'

'Thank God,' zucht Shayla opgelucht. 'En nu?'

'Ik mag blijven, maar danceclass zit er deze week niet meer in. De rest wel, als ik me maar goed voel.'

Een poosje zitten we zwijgend voor de tent. Lizzie is de eerste die weer wat zegt. 'Het was echt een ongelofelijke klap. Eerst tegen die stoel en toen op de grond met je hoofd. Ik schrok me kapot, dacht dat je dood ging. Ik bedoel, zo veel bloed... En ik kan helemaal niet tegen bloed. Dat ík niet ben flauwgevallen.'

'Weet je,' begin ik in een poging de bedrukte sfeer te doorbreken, 'het gaat nu al stukken beter.'

'Zal ik anders wat te drinken halen?' Evi staat op.

'Nee, nog beter: we gaan lekker naar het terras. Even meeten. En wie weet, nog wat hunks spotten. Kom.'

Dankbaar kijk ik Lizzie aan. 'Strak plan.'

27

'Hee Pien, arme ziel. Hoe is ie?' Maartje en Tessa, onderuitgezakt in een loungebank, wenken ons.

'Mwah, gaat wel.'

'My God, wat maakte jij een smak, zeg. Ik schrok me dood.
Hoe kwam dat nou, wat gebeurde er?' Tessa veert op en schuift
nieuwsgierig naar het randje van de bank.

Gáán we weer, denk ik. Kunnen we het niet ergens anders over
hebben? Let's change the subject, please. 'Hoe was de karaoke
eigenlijk?'

'Tja, karaoke is karaoke. Zó boring.' Maartje doet alsof ze gaapt.
'En hoe sommigen zingen, dat verzin je niet. Hoe valser, hoe hi-
larischer, lijkt wel.'

'Ja, het was niet echt spectaculair. Hoewel, toen die ene jongen
kwam…'

'Welke jongen?'

'Je weet wel, die blonde.' Tessa's ogen glimmen. 'Met die beestachtig sexy smile. Kom, hoe heet ie ook alweer. Maartje, help nou
effe. Die ene, hij speelt ook gitaar.'

Blond, sexy, smile, gitaar… Shit, volgens mij hebben ze het over
Tom. Kan niet anders. Langzaam krijg ik het benauwd en ik voel
het zweet al in mijn nek. Ik wil het niet over hem hebben, nu
niet. Moet toch al de hele tijd aan hem denken, ben zo verliefd.
Trouwens, waar is ie eigenlijk? Vlug check ik mijn mobiel, voor
de zoveelste keer. Nog steeds geen sms'je. Nou ja, misschien heeft
ie wel een workshop. Kan toch?

'Ja, ik weet wie je bedoelt,' schreeuwt Maartje uit. 'Die…

die blonde... Wacht, ik heb het bijna.'

Ik begin dit gesprek steeds meer te haten. Houd er nou over op, Maartje. Maar ze draaft maar door.

'Hij zette me een waanzinnige performance neer. De zaal ging compleet uit z'n dak. En heb je die ene griet niet gezien, die Ilona? Ze vloog 'm zowat om z'n nek. Nogal desperate, als je het mij vraagt.'

Ik krijg bijna hartkloppingen. Ilona en Tom...? My worst nightmare.

'Volgens mij was hij ook in de schuur.'

'In de schuur? Wanneer dan, Tess?'

'Gistermiddag. Vlak voor Pien van dat podium stuiterde.'

Kappen nou, denk ik. Dit gaat helemaal verkeerd. Straks valt de naam Tom en begin ik te shaken. Zal je zien, krijg ik geen zinnig woord meer over m'n lippen. 'By the way, gaan jullie vanavond naar die disco? ' zeg ik daarom zo nonchalant mogelijk.

'Eh...' Door de plotselinge wending van het gesprek, is Tessa even van haar stuk gebracht.

'Wat denk je? Tuurlijk,' zegt Maartje.

'Effe lekker uit je plaat op een super beat.' Shayla heeft er duidelijk zin in.

'Kan ik eindelijk dat zwarte jurkje aan. Met m'n nieuwe pumps.'

'Moet je haar horen. Lizzie, onze fashionista. Voor elk event money spent.' Veelbetekenend kijkt Evi naar Maartje, die uitdagend knipoogt. 'Wedden dat die blonde jongen ook komt. En dat ie net zo goed kan dansen als karaoken? Het is dat ik een vriendje heb...'

Lizzie houdt het bijna niet meer. 'Over wie hebben jullie het nou? Zit ie soms bij zang? En waarom heb ik 'm nog niet gespot? Ik heb een neus voor hunks. Ik bedoel, ik ben nog vrij. Nou ja, deze week dan in ieder geval.'

Djiezz, zitten ze nou allemaal achter Tom aan? De twijfel slaat toe. Heb ik hem soms verkeerd begrepen? Hij zei toch echt dat ie me superleuk vond. En dat zoenen dan, zo lief. En we hadden toch nog een date? Hè, dat gezeur van die meiden. Ik heb opeens helemaal geen zin meer in die disco. 'Zoals ik me nu voel, zie ik die disco niet zo zitten,' zeg ik.

'Dat meen je niet, Pien.'

'Nou ja, m'n hoofd en zo. En ik mag ook al niet dansen...'

'Maar je hebt ons toch?' Lizzie slaat een arm om me heen. 'Weet je, je mag m'n pumps lenen. Die nieuwe.'

Evi vangt mijn blik. Ze heeft duidelijk door dat ik het niet over Tom wil hebben. 'Laat Pien maar even. Ze is gewoon hartstikke moe. Zullen we anders even een tosti eten? Zien we daarna wel verder.'

28

De schuur is onherkenbaar. Felle spotlights, de ramen afgeplakt met glimmend folie en natuurlijk black light. Aan het plafond schittert een enorme discobal duizend lichtjes. Opgetut staan we met z'n vieren aan de kant. Lizzie dus in dat zwarte jurkje, een hopeloos duur witzijden sjaaltje losjes om haar schouders. Casual chic, noemt ze dat. Nou, ik vind haar meer een discodiva. Zelf heb ik m'n favo jeans en glittertopje aan. En o ja, Lizzies nieuwe pumps. Onwennig sta ik te wiebelen. Hoe kan ze in godsnaam op die kapothoge hakken lopen, vraag ik me af. Ondertussen kijk ik naar de dansende menigte. De sfeer zit er al goed in.

'Wie gaat er mee?' Shayla staat al half op de dansvloer.

'Ja, ikke. Gaaf nummer. Kom je ook, Pien?'

'Neuh.'

'Ah, kom nou. Dan dans je gewoon voorzichtig, kan best.' Gedwee laat ik me door Lizzie en Shayla meesleuren. Tegen die twee kan ik nu niet op, helemaal niet op zulke wiebelpumps.

Niet veel later sta ik weer aan de kant. Ik voel me dizzy en de harde muziek echoot hard na in mijn kop. Dat dansen moet ik dus maar even vergeten. 'Heb jij Tom nog gezien?' vraag ik aan Evi.

Ik zie haar twijfelen. 'Ja gister, heel even, bij het eten. Maar ik heb hem niet gesproken.'

'Zag ie je dan wel? Ik bedoel, kwam hij niet naar je toe om te vragen waar ik was?'

'Weet je, hij zat best ver weg. Met Mike en zo. Hé, daar heb je Mike net, bij de bar. Weet je wat, ik haal wat te drinken. Jij?'

'Doe maar wat.'

'Gaat het wel?'

'Jawel, beetje dizzy, maar ik sla me d'r wel doorheen. Trouwens, neem gelijk wat voor Shayl en Lizz mee.'

Bij de bar zie ik Evi gezellig met Mike kletsen. Ze lacht. Zij wel, maar ik? Met de minuut word ik beroerder. Verdomme, als Mike er is, waarom Tom dan niet? Opeens voel ik me heel alleen.

'Hier, pak aan.' Mike duwt me een plastic beker in mijn hand.' Wat hoor ik nou? Lag je in het ziekenhuis?'

'Ja. Hoe weet jij dat?'

'Vertelde Evi net. Balen zeg. Wat heb je?'

'Hechtingen en een lichte hersenschudding.'

'Jee, wat lullig voor je. Mag je wel blijven?'

Ik knik alleen maar.

'Goh, ik hoop echt dat het gauw weer beter gaat. En dat je het slotfeest niet hoeft te missen. '

'Weet jij waar Tom is?' Ik móet het weten.

Mike lacht. 'Geen idee. Overal en nergens. Typisch Tom. Hij duikt vast wel weer op. Gaat het trouwens wel? Je ziet er een beetje moe uit.'

Opeens voel ik me zó beroerd. Geradbraakt, verdrietig en inderdaad doodmoe. 'Ik ga naar de tent,' piep ik. 'Slapen.'

'Weet je het zeker?' Evi kijkt bezorgd en slaat een arm om me heen.

'Ja.' Weer voel ik die tranen.

'Zullen we anders even met je meelopen?' oppert Mike. 'Kleine moeite.'

'Neuh, het gaat wel. Blijven jullie maar lekker hier.' Ik moet hier zo snel mogelijk weg, voor ik in janken uitbarst. 'L-later.'

'Slaap lekker...'

Met een diepe zucht draai ik me voor de zoveelste keer om. Ik kan maar niet in slaap komen, lig constant te woelen. En die music... Stuk voor stuk songs met een vette dancebeat, of heerlijke sing-alongs. Kaa-uuu-tee, wat doe ik hier? Ik baal als een stekker. Ik bedoel, het is vakantie en dan ook nog een coole disco! M'n beste vriendinnen gaan vast uit hun dak. En Tom ook. Weet je, die dokter kan 't shaken. Wat nou rustig aan doen, bekijk het maar.

Ik wurm me uit mijn slaapzak en zoek mijn kleren weer bij elkaar. Vlug haal ik een hand door mijn haar. Op m'n teenslippers slenter ik naar de schuur. M'n voeten zijn helemaal beurs van die high heeled-pokkepumps.

Bij de enorme eikenboom hoor ik opeens gegiechel. Ik draai me om en zie wat bewegen. Hè, dat lijkt het sjaaltje van Lizzie wel. 'Lizz? Ben jij dat?' roep ik zachtjes.

Het gegiechel verstomt.

'Pien? Wat doe jij hier?' Lizzie kijkt me verbaasd aan, haar hoofd nog half verscholen achter de boom. 'Je ging toch naar de tent? Gaat het wel? Voel je je soms niet lekker?'

'Jawel, maar ik kon niet slapen.'

Lizzie doet een stapje opzij, maar iets houdt haar tegen. Dan zie ik het, er ligt een arm om haar middel. Vaag hoor ik een zwoele stem. Lizzie giechelt opnieuw en zegt wat terug, maar ik kan het niet verstaan. Nieuwsgierig ga ik wat dichter bij de boom staan.

'Is er iets, Pien?'

'Nou ja, ik lag daar maar te luisteren naar die vette muziek. Dus ik dacht, wat kan het mij ook bommen, ik ga gewoon weer naar de disco. Het is verdomme vakantie. Maar… wat doe jij hier?'

'Nou ja, ik ben een soort van bezig. Je weet wel…'

Dan verschijnt er achter Lizzie een gezicht. Een bekend gezicht…

'Tom…' stamel ik verbijsterd. Met stomheid geslagen hap ik naar adem.

Tom kijkt me aan en lacht alleen maar. Ondertussen houdt hij zijn arm stevig om Lizzies middel en fluistert dan wat in haar oor.

Mijn maag trekt zich pijnlijk samen. Alsof iemand me zojuist keihard in mijn buik heeft gestompt. Verward kijk ik van Lizzie naar Tom, en dan weer naar Lizzie. Wat is hier in godsnaam aan de hand? Gedachten schieten door mijn hoofd.

'Wat is er? Je kijkt zo raar,' zegt Lizzie.

'Niks... Er is niks,' antwoord ik snel. Lizzie en Tom, unbelievable. Hoe kan ze? Het liefst wil ik haar op haar gezicht slaan, maar ik beheers me. Met een ruk draai ik me om en ren terug, naar de tent.

'Pien, wacht...' hoor ik Lizzie nog roepen.

Zo hard ik kan, zonder om te kijken, sprint ik het grasveld over. Half struikelend schiet ik de tent in. Ik laat me op mijn slaapzak vallen en begraaf mijn hoofd in m'n kussen. Djiezz, wat gebeurt hier allemaal? Eerst lazer ik van dat podium, dan dat gedoe in het ziekenhuis met die hersenschudding en nu dit. Wanhopig draai ik me op mijn rug en staar naar het tentdoek. Dit kan niet waar zijn!

Ineens rollen de tranen over mijn wangen. Ik huil zonder geluid. Van woede en verdriet tegelijk. Wat deden Tom en Lizzie daar achter die boom? Zoenen, flirten, vrijen misschien...? Mijn hersenen draaien op volle toeren. Hoe kan dat nou, ík had toch wat met Tom? In het bos heeft hij míj gezoend, z'n arm om míj heen geslagen, z'n sweatshirt gegeven. Zo lief. En daarna, op die loungebank. Hij vond me leuk. Echt waar, zei hij er nog bij. En hij kroelde zo sweet door m'n haar. En o ja, die date voor karaoke dan...? Ik snap er helemaal niks meer van.

Er schiet van alles door mijn hoofd, maar één ding weet ik zeker. Lizzie stond echt te tongen daarnet. Wat is ze toch een ongelofelijke slettenbak. Altijd op zoek naar hunks. Nou, nu heeft ze er een gescoord, míjn Tom. Wedden dat ze hem meteen heeft gespot, daar in die disco. En dan natuurlijk overdreven gaan flirten. Ik zie het helemaal voor me: hoe ze om hem heen draait en kronkelt. Typisch Lizzie. Ze heeft hem ordinair van me afgepakt. Opnieuw voel ik een pijnscheut.

Hoe langer ik erover nadenk, hoe giftiger ik word. Weet je, ik ga het haar nu zeggen. Wat nou vriendschap, dan flik je me zoiets niet. Woest rits ik de tent open en stap naar buiten.

Bij de boom is niemand meer. Geen Tom. Geen Lizzie. Helemaal niemand.

Teleurgesteld en trillend van woede, loop ik terug. Morgen zal ik haar eens flink de waarheid vertellen. Gevoelloze bitch, egoïstisch as always.

29

Hondsmoe rits ik de tent open en steek mijn hoofd naar buiten. Djiezz, ik voel me gesloopt. Ik heb de hele nacht liggen malen. Over Lizzie. Over Tom. Over Lizzie en Tom…

Kijk, daar heb je d'r net. En ook nog zwaaien naar me, alsof er niets is gebeurd. Nijdig rits ik de tent weer dicht en trek de slaapzak over m'n hoofd. Hier heb ik geen zin in. Maar er is geen ontkomen aan. Ik bedoel, tentdoek is behoorlijk dun.

'Hé Lizz, heb je al gedoucht?' hoor ik Shayla vragen.

'Ja, kwam net … lekker ding … vanmiddag … date. Super toch?' vang ik flarden van het gesprek op.

Heeft ze het nou over Tom? Ik hou het niet meer. En het is ook nog eens bloedheet in de tent. Ik moet naar buiten, even frisse lucht. Vlug gooi ik de slaapzak van me af en rits de tent weer open. Met een verhit hoofd stap ik naar buiten. Zonder naar Lizzie of Shayla te kijken, vlucht ik naar de douches.

Als ik eindelijk terug kom, zie ik Lizzie in haar eentje bij de tent zitten. Irritant uitgelaten zwaait ze naar me. Ik kan haar nu echt niet langer negeren.

'Hé Pien, hoe gaat het? Voel je je al wat beter? O, ik moet je wat vertellen. Het was gisteren nog zo gezellig. En ik ben totally in love. Nou ja, denk ik.'

'O,' is het enige wat me te binnen schiet. Ik wil dit niet horen, dus lazer op Lizzie.

'Wat doe je ongeïnteresseerd. Heb je nog last van je hoofd. Is dat het?'

'Nee, hoor.' Ik reageer koel, maar intussen giert de adrenaline door mijn lijf. Hoe kan ze, schijnheilige trut, doen alsof er niets aan de hand is?

'Echt waar? Ik bedoel, als je je niet lekker voelt, moet je het gewoon zeggen. Heus Pien, is er echt niks?'

'Wat denk je zelf?' snauw ik.

'Hoe bedoel je?' Lizzies gezicht is een en al onschuld.

'Dat weet je best.'

'Nou, nee…'

'O nee? En dat je gisteren stond te rotzooien bij die boom. Met Tom, míjn Tom.'

Verbaasd kijkt ze me aan. 'Jouw Tom? Hoezo, jóuw Tom?'

'Ja ja, alsof je dat niet weet. Jij vond toch dat ik Noah maar snel moest vergeten. Nou, dat advies heb ik opgevolgd. Dus heb ik wat met Tom. Ja ik, niet jij. We hebben zelfs al gezoend. Tijdens de dropping en later die avond nog op de loungebank. En we zouden samen naar karaoke gaan, eergisteren.'

'H-hoe moet ik dat nou weten? Je hebt het me helemaal niet verteld, over jou en Tom. Je vertelt me ook nooit wat. En trouwens, hij kwam naar mij toe, ik niet naar hem. Hij wilde wat met mij. Ik bedoel, zo'n hunk, zeg je daar nee tegen? Ik dacht het niet.'

'Jij moet niet denken, Lizzie. Dat is niet goed voor dat mooie hoofdje van je.'

'En ik hoef aan jou geen verantwoording af te leggen. Je bent m'n moeder niet.'

'Verdomme, ik heb het recht te weten waarom jij met Tom stond te zoenen.'

'Recht? Welk recht? Ik doe wat ik wil, ja. Wat ík wil!'

'Ik wil, ik wil, ik wil. Dat is nou precies jouw probleem. Je bent altijd met jezelf bezig. Je zou eens wat aan je attitude moeten doen.'

'Doe niet zo opgefokt.'

Plotseling voel ik ogen in mijn rug priemen. Ik draai me om en, o shit, daar staan Evi en Shayla. Hoe lang al? Wat hebben ze gehoord? Ach, het kan me ook allemaal niks meer schelen. Ik moet weten wat er aan de hand is. 'Weet je, je gunt het me gewoon niet. Ben ik een keer verliefd, op een vet coole boy, en dan flik je me dit. Wat een misselijke move. Je bent gewoon een egoïstisch loeder, Lizzie.'

'Nou moet je eens goed luisteren, Pien. Ik laat me door jou niet de les lezen. Jij was er gisterenavond niet bij. Nee, jij lag in je tent zielig te wezen. Een beetje aandacht trekken met die hersenschudding van je. En by the way, als Tom toevallig interesse in mij heeft, dan mag ik daar toch wel op ingaan? Het is duidelijk, he is just not that into you.'

'Weet je, Lizzie...' Mijn adem stokt. Van woede kom ik niet meer uit mijn woorden.

'Nou, wat? Wat zou ik moeten weten?' daagt Lizzie me uit. Haar ogen zijn kil, haar lippen een dunne streep.

'Hoe duidelijk wil je het hebben? Hij is van mij, ik zag hem eerst!'

'Sodemieter op, Pien! Zo werkt het niet. Had je het me maar moeten vertellen.'

Witheet draai ik me om, m'n bloed kookt zowat. Ik wil weg, weg van deze ellende.

Maar Lizzie is nog niet klaar. 'Weet je, ik wilde graag met je mee naar het ziekenhuis. Maar nee, ik kreeg de kans niet eens. Evi moest natuurlijk je handje vasthouden. Je hartsvriendin, je BFF.'

'Ach, wat boeit het, Lizzie.' Nu ontplof ik echt. 'Hoe kun je! IK. HAD. WAT. MET. TOM! Snap dat dan!' Driftig been ik weg, Lizzie, Shayla en Evi perplex achterlatend.

'Pien? Pien!' hoor ik Evi nog roepen. Maar zelfs zij kan me niet meer tegenhouden. Tom... Ik moet nú op zoek naar Tom.

'Pien...' Ineens staat Evi naast me en houdt me tegen.

Weer voel ik die tranen en stug kijk ik de andere kant op.

'Gaat het? Ik heb net alles gehoord en... Ik wist het niet van Lizzie en Tom, echt niet. Ik had hem nog gezocht gisteren, maar ik zag hem nergens.'

'Nou, drie keer raden waar hij was. En met wie. Verdomme,

lig ik met een bonkende kop in de tent en dan staat zij met mijn Tom te bekken. Lizzie, een van mijn beste vriendinnen nog wel. Als je die niet eens kunt vertrouwen.'

'Er is vast een reden waarom…'

'O ja? Nou, ik weet er wel een. Ze is gewoon een vals kreng. Alles draait altijd om haar. Hoe mooi ze is, hoe fantastisch de kleren zijn die ze draagt, noem maar op. Het leven is voor haar één grote Charlize-Louvenberg-show. De queen of mean!'

'Meen je dat nou? Oké, ze kan zich af en toe wat aanstellen, maar ze heeft heus een goed hart.'

'Lizzie, een goed hart? Laat me niet lachen. Het is gewoon een goor takkenwijf.'

30

Wat een klotedag, nu al totally verpest. Daar kan zelfs de work-shop met Nikki weinig aan veranderen. En ik had me er nog zo op verheugd. Maar voor mij hoeft het allemaal niet meer. Met Lizzie in één ruimte, dat trek ik niet. Maar ja, het is wel dé Nikki van PopFactory en ze doet het speciaal voor ons. Dus vooruit, ik heb geen keus.

'Goed,' begint Nikki, 'vandaag gaan we een stapje verder. Daan komt er zo ook bij en dan focussen we ons op podiumperfor-mance. Jullie uitstraling, bewegingen, samenspel. Maar eerst even alles aansluiten en warm draaien.'

In mezelf gekeerd pak ik mijn bas.

'Pien?' Ik schrik op. Lizzie staat ineens naast me. Helemaal horror.

'Heb geen tijd, moet m'n bas aansluiten.' Met gebogen hoofd doe ik druk met snoertjes en dingetjes. Laat 'r de klere krijgen. Ik wil niets meer met haar te maken hebben.

'Pien, luister nou.'

Ik negeer haar en blijf stug naar m'n snoertjes kijken.

'Pien, toe nou. Alsjeblieft. Sorry, ik…'

Demonstratief draai ik me om.

'Oké, dan niet.' Ik hoor de teleurstelling in Lizzies stem, maar dat kan me niks schelen. Ze bekijkt het maar.

'Ik snap het niet, eergisteren ging het fantastisch. Gaat het wel, Pien? Of heb je misschien nog wat last van je hoofd. Ik be-doel, zo'n val moet je niet onderschatten,' zegt Nikki vol begrip.

'Wil je even een break?'

Snel kijk ik naar Evi en Shayla, ik wil hen niet in de steek laten. Lizzie interesseert me geen reet. Dan schud ik van nee. Nu opgeven? Dat nooit.

'Goed, dan proberen we het nog een keer. Denk aan wat ik net gezegd heb. Je hebt zo veel talent, houd je niet in.'

Wanhopig probeer ik me te concentreren. Op m'n bas, m'n bewegingen, het samenspel. Maar het lukt gewoon niet. Technisch niet, qua timing niet. Vanuit m'n ooghoek zie ik Shayla staan, als een geboren zangeres speelt ze met de microfoon. Mijn blik dwaalt verder, naar Evi achter haar drumstel, en dan naar Lizzie. Haar ogen smeken me haar te vergeven. Vlug ontwijk ik haar blik en tuur naar m'n snaren.

'Pien, kom op,' roept Daan meteen. 'Niet naar beneden kijken, maar naar elkaar en naar de zaal. Geloof in jezelf. Laat zien dat je er plezier in hebt, dat je de mensen wilt entertainen. Je moet het publiek erbij betrekken. Dat geldt niet alleen voor Shayla, maar ook voor jou. Voor jullie allemaal trouwens.'

Ik zucht. Was het maar tijd. Ik wil naar Tom. Zijn arm om me heen en dat hele gedoe met Lizzie vergeten.

Tijdens de lunch is Lizzie op haar best. Ze draaft druk heen en weer: brengt tosti's, haalt wat fruit, schenkt iets te drinken voor me in. Zo ken ik haar helemaal niet. Als ze eindelijk gaat zitten, naast mij nota bene, negeer ik haar nog steeds. Wat denkt ze nou. Dat ze het zo goed kan maken? Met een klef broodje en een flesje water? Never nooit.

'Pien, echt super dat je toch meedeed vanochtend.' Shayla neemt nog een slok.

'Dank je.'

'Ging helemaal niet slecht. Die Daan had best wel wat dingetjes, maar dat pikten we goed op, toch?'

'Ja, het is precies wat ie zei. Je moet op elkaar bouwen en vertrouwen op het podium,' slijmt Lizzie.

Ik ga er niet op in. Laat me nou eens met rust. Gelukkig hebben ze vanmiddag danceclass. Kan ik het mooi even rustig aan doen. En misschien wel even bijslapen. Ik bedoel, vannacht heb ik bijna geen oog dicht gedaan.

'Heb je anders zin om mee te gaan naar songwriting. Fenna vindt het vast niet erg als je erbij komt zitten. Ze snapt het wel.' Evi staat al klaar, haar boek onder de arm.

'Of kom gezellig bij danceclass kijken. Bij Vince.'

'Ja,' zegt Lizzie. 'Gewoon rustig zitten en kijken. Dat kan toch geen kwaad.'

Zonder iets te zeggen, loop ik naar de tent.

'Maar je kunt hier toch niet in je eentje achterblijven?' Lizzie doet poeslief.

'O nee?' Ik voel de woede weer opkomen. Waarom moet ze nou zo doordrammen. Heeft ze dan echt een bord voor d'r kop? Snap dan dat ik geen zin in je heb!

'Laat 'r maar,' hoor ik Evi zeggen. 'We zien je straks wel weer, hè Pien? Na de workshop op het terras dan maar?'

'Whatever.'

31

Met z'n drieën zitten we op het terras. Lizzie ligt voor de tent, geloof ik, zogenaamd uitgeput van danceclass. Sinds onze ruzie heb ik haar niet meer gesproken. In gedachten verzonken friemel ik aan mijn oorbel. Ineens voel ik dat er iemand naar me kijkt.

'Wat nou!' roep ik, als ik zie dat Evi en Shayla me aanstaren.

'Ze heeft me alles verteld,' biecht Shayla op.

Woest kijk ik naar Evi. 'Het was een geheim, weet je.'

'Ze moest wel,' verdedigt Shayla haar. 'Ik bedoel, jij en Lizzie zeggen al de hele dag geen stom woord tegen elkaar. En vanochtend, die knallende ruzie. Maar nu snap ik waarom je zo kwaad op haar bent.'

'Kwaad is nogal zacht uitgedrukt.' Ik zucht. 'Wat weet je eigenlijk allemaal?'

'Nou, dat jij all over Tom was. En dat je met hem hebt gezoend en zo. Oh My God, hoe is het mogelijk dat ik daar niets van heb gemerkt?'

'Fijn dat je nu alles weet, maar het is dus een geheim. Althans, dat was het.' Ik kijk Evi nog een keer vuil aan. Ik voel me verraden.

'Sorry.' Evi geeft niet op. 'Maar één ding snap ik niet. Als jullie elkaar te gek vinden, dan wil je toch dat de hele wereld het weet. Dan schreeuw je het toch van de daken? Dat geheim, van wie kwam dat idee eigenlijk? Van jou of van Tom?'

Even ben ik sprakeloos. Wat bedoelt ze, waar wil ze heen? Ik voel me steeds ellendiger. Bonkt m'n hoofd even niet, heb ik zo'n onbestemd gevoel in mijn maag.

'Tom wilde het geheim houden, hè? Jij niet. Na de dropping wist je niet hoe snel je het me moest vertellen. Het was dat Lizzie en Shayla al naar de tent waren, anders hadden zij het ook allang geweten.' Evi is vastberaden. Ze wil dit voor eens en voor altijd ophelderen. Ik zie het aan d'r. En als ze in zo'n bui is, berg je dan maar. Dan bijt ze zich er als een pitbull in vast.

Zachtjes knik ik en zak steeds verder onderuit in mijn stoel.

'Zie je wel. Ik wist het.'

'Hoe bedoel je?' Vragend trek ik m'n wenkbrauwen op. Au, mijn hechting. Die was ik door dat stomme gedoe helemaal vergeten.

'Er... er is iets... Ik kan het niet goed uitleggen.' Zorgvuldig zoekt Evi haar woorden. 'Er klopt iets niet met die jongen. Ik voel het gewoon. En het zit me dwars dat niemand van jullie romance mag weten.'

'Nou ja, als je iets geheim houdt, is het wel veel spannender,' probeer ik.

'Ja, én makkelijker,' concludeert Shayla. 'Voor hem dan, bedoel ik. Kan ie lekker met tig andere meiden klooien.'

'Zo is ie helemaal niet. Hij is hartstikke lief. Zei dat ie me echt leuk vond. Mooi, bijzonder, anders dan anderen en zo.'

'Bijzonder, anders dan anderen? Dream on, Pien. Ik wil niet lullig doen, maar dat is typisch een tekst van een ongelofelijke mooiboy.'

'Een mooiboy, dat meen je niet, Shayl,' roep ik verontwaardigd. Maar de twijfel slaat toe. Ben ik dan zo blind geweest? Nee, ze zien het verkeerd. Tom wilde alleen maar bij mij zijn. Of toch niet...? Ik bedoel, die avond op de loungebank. Waarom moest ie ineens zo nodig weg toen ik zei dat het allemaal iets te snel ging?

'Pien, luister je nog?' Shayla's stem klinkt ver weg.

En die ontbijtdate, pieker ik verder. Waarom wilde hij per se zo vroeg afspreken? Zeker omdat niemand ons samen mocht zien? Ik slik, langzaam begint het tot me door te dringen. Hij was er nota bene bij toen ik van het podium viel. Maar hij kwam niet eens naar me toe. En hij heeft me zelfs niet gebeld toen ik met m'n bonkende hoofd in het ziekenhuis lag. Niet één focking sms'je. Trouwens, waar is-ie eigenlijk? Hij is al dagen in geen velden of wegen te bekennen.

Plotseling valt alles op z'n plek en met een klap land ik terug op aarde. Nog half in shock kijk ik naar Evi, dan naar Shayla. Het duizelt me, ik moet bijna kotsen. 'Jullie hebben gelijk... Tom is een player.'

'Vertrouw nooit op mooie mannen, ze zijn bad news.'

'Lekker tactisch, Shayl, maar ever zo true.'

Ik voel me opeens zo'n loser. Hoe kon ik in godsnaam verdrinken in die prachtig knalblauwe ogen? Prachtig knalblauwe ogen? No way! Ze zijn gewoon kil en ijdel. 'Weet je,' zeg ik, 'die arrogante zak heeft me gewoon gedumpt. Wat ben ik toch een naïeve trut.' Om de beurt kijk ik m'n vriendinnen aan. 'En nu?'

'Laat 'm lekker de klere krijgen, die wandelende testosteroncel,' zegt Shayla fel.

'Het is rot om er zo achter te komen, maar hij is mega stupid, een foute boy. Weet je, Pien, je verdient beter.' Evi slaat troostend een arm om me heen.

Dan wordt het me allemaal te veel. Boos, maar vooral verdrietig veeg ik een traan weg. 'En dan heb ik ook nog ruzie met Lizzie,' snik ik. 'Allemaal door zo'n ranzig type.'

'Logisch dat je kwaad bent, Pien.' Shayla zet haar cola neer. 'Maar Lizzie wist het echt niet van jou en Tom. Oké, ze is een eersteklas flirt. Tijdens de disco heeft ze met het halve kamp gedanst en ineens stond ze met die Tom te schuifelen. Ja, een beetje uit het zicht, natuurlijk. Ook dat moest vast geheim blijven. En o, wat deed ie interessant en grappig. Ever so charming. En ja, je kent Lizzie. Die zegt dan geen nee. Maar believe me, hij begon.'

'Wat moet ik doen?' vraag ik benauwd.

'Weet je, ik wil niet dat onze girlsband al uit elkaar ligt, voordat we echt zijn begonnen.' Evi is nuchter altijd. 'Dat gezeik tussen jou en Lizzie is natuurlijk jullie zaak. Maar als we morgen on stage staan, wil ik daar niets van merken. Het ging vandaag tijdens de workshop ook al niet zo lekker, toch?'

'Deleten die boy.' Shayla is duidelijk.

'Ja, vanavond in het dorp willen we het wel een beetje leuk hebben.'

'Vanavond? Oh shit, die jaarmarkt. Helemaal vergeten.'

Totaal heartbroken – again – hang ik op de bank.

'Je blijft niet weer in die tent liggen, Pien. We nemen je gewoon mee, hoor.'

Ik voel me opeens bekaf. Maar Evi heeft gelijk, ik moet het oplossen met Lizzie. 'Ik ga het nu uitpraten,' zeg ik.

Met lood in m'n schoenen slenter ik naar de tent. Ik zie er enorm tegenop. Ik bedoel, ik heb behoorlijk wat geroepen vanochtend. En niet alleen over Lizzie en Tom, echt alle shit heb ik er uitgegooid.

'Hoi...'

'Hai...' Lizzie kijkt op. Ze ziet er somber uit. Onzeker bijna.

'Ik wou vragen, mag ik...'

'Hier zitten, bedoel je? Tuurlijk, graag zelfs.' Opgelucht legt Lizzie haar glossy opzij.

'Wat lees je?'

'O, niks bijzonders. Een interview met Yannick.'

'Van PopFactory?'

'Raad 'ns hoe oud ie is.'

'Eenentwintig of zo?' schat ik.

'Nee, achttien pas. Misschien maak ik dan toch nog een kans bij hem...'

'Weet je, volgens mij is het een ongelofelijke player. Zoals hij met die camera flirt.'

'Hoe bedoel je?' Lizzie kijkt me niet-begrijpend aan.

'Nou, net als Tom.'

'Huh?'

Dan vertel ik Lizzie het hele verhaal. De dropping, de loungebank, de ontbijtdate, het zoenen, de schuur, mijn ontdekking bij die boom, hoe klote ik me toen voelde. Nu pas dringt het echt tot me door: 'Die gast is totaal niet te vertrouwen. Ik ben ordinair gedumpt. Nee, erger nog, ingeruild. En ik? Ik trapte er met open ogen in. Let's face it, het is gewoon een egoïstische, oversekste player.'

Lizzie lijkt even van haar stuk gebracht.

'Het spijt me,' ga ik door. 'Ik ben vanochtend echt te ver gegaan. Heb dingen tegen je gezegd, dat kon absoluut niet. Maar ik was ook zo pissed.' Even zucht ik diep. 'Ik weet dat het niet genoeg is, Lizz, maar sorry.'

'Het spijt mij ook, echt waar. Ik ben ook zo'n vreselijke flirt. Soms heb ik gewoon een hekel aan mezelf.' Dan slaat ze verschrikt haar hand voor haar mond. 'O nee, ik heb vanavond een date, met Tom. Op die jaarmarkt in dat duffe dorp.'

'Meteen dumpen die hap. Tom is history.'

'Absoluut. Wat denkt ie wel, m'n beste vriendin belazeren. Dat flikt ie me niet. En jou helemaal niet, trouwens. By the way, er zijn nog genoeg andere boys.' Op Lizzies gezicht verschijnt een ondeugende glimlach.'

'Zo ken ik je weer, ouwe versierder,' grap ik.

'Ach ja, zit in m'n genen. Maar weet je wat? We regelen een rampdate voor Tom. Wat dacht je van Ilona?'

'Ilona?' Even weet ik niet wat ik moet denken. 'Ilona mag dan wel een bitch zijn,' zeg ik, 'maar lelijk is ze beslist niet.'

'Klopt. Maar ze is net zo'n sneaky rat als Tom. Zou zomaar kunnen dat zij hém straks dumpt.'

Ik ben nog niet helemaal overtuigd. 'Of ze zijn juist made for each other,' zeg ik vertwijfeld. 'Je weet wel, zo'n perfect setje.'

'Een setje losers zul je bedoelen!' gilt Lizzie. 'Nu zijn ze nog een soort van knap. Maar over een paar jaar? Zitten ze als een

Sjonnie & Anita uitgezakt op de bank Bananasplit te kijken. Zó exciting.'

'En samen op zaterdagavond naar de bingo. En daarna natuurlijk karaoken.' Ik zie het opeens helemaal voor me.

'Ja, en met Pasen burgertrutterig naar de meubelboulevard in hun Opel. He-le-maal hun ding!'

Hikkend van de lach liggen we op de grond.

'Hé, het lijkt hier wel een soort van gezellig.' Shayla en Evi ploffen ineens naast ons neer.

'Wat komen jullie doen?' Ik kijk zogenaamd verrast.

'Nou, gewoon, even wat uit de tent halen,' zegt Shayla met een onschuldig gezicht.

'Ga gerust je gang. Maar ík ga naar het terras. Even wat lekkers scoren. Ga je mee, Lizz?'

'Tof plan, Pien.' Lizzie haakt haar arm door die van mij.

'Later!'

32

Met z'n vieren slenteren we over het grote plein bij de kerk. Ik zie overal kraampjes, met van alles en nog wat. Honing, handge- maakte zeep, brandnetelkaas en van dat vieze, zure natuurbrood waar je geen tosti van kan brouwen. En o ja, Peruaanse mutsen, wanten, vesten. Huh, het is hartje zomer! Waar zijn de bikini's, zonnebrillen en hippe slippers?

Ergens knalt muziek uit boxen en een draaimolen draait zijn rondjes op een hip deuntje. Aan de overkant is een bar, en inderdaad botsautootjes. Precies zoals Vince had gezegd.

'Lekker trendy, zo'n jaarmarkt,' zeg ik. Maar ik moet toegeven, het is best gezellig.

'Ben ik niet een beetje overdressed?' Lizzie heeft alleen maar aandacht voor haar jurkje en die kapothoge pumps.

'Nee joh, zo'n femme fatale vinden die boeren juist spannend. Worden ze hitsig van.'

'Give me a break. Ik ga liever gewoon dood.'

'Lekker belangrijk, Lizz,' zegt Evi.

'Maar het is toch zo? Nooit naar Boer zoekt Vrouw gekeken zeker? Ik bedoel, die ene kon geen stom woord uitbrengen. Zat daar maar op die bank, zo boring. Geef mij maar hippe hunks.'

'Wacht maar, straks zie je me toch een lekker ding. Komt ie ge- woon uit het dorp.'

'Ja duh.'

'Trouwens, je hoeft niet altijd wat tegen elkaar te zeggen. Ik bedoel, zo'n dekhengst, zo'n hooiberg, je kunt natuurlijk ook meteen...'

'Shayl, wat ben jij erg, bijna nog erger dan Lizzie.' Ik kom niet meer bij en hang slap over Evi heen. Ook Shayla giert het uit en zelfs Lizzie houdt het niet meer. Heerlijk, geen ruzie. Zo moet het zijn.

De muziek stopt abrupt. 'Over vijf minut'n begint de eerste wedstrijd beachvolleybal,' schalt een stem met een zwaar dialect over het plein. 'We beginn'n met de jong'ns, dit mag u niet miss'n.'

'Ah, actie, eindelijk. En wie weet hunks.' Ik geef Lizzie een por.

'Shit, heb ik net muntjes voor wat te drinken gekocht. Moet je zien wat een rij bij die bar, dat duurt nog wel effe.'

'Dan haal je straks toch wat.'

'Nee, ik moet nú wat drinken.'

'Ik lust ook wel wat.' Shayla ziet er zoals gewoonlijk dorstig uit.

'Wij gaan alvast, oké? Zien jullie daar wel.' Ongedurig trek ik Evi mee.

Halverwege de tweede wedstrijd zie ik eindelijk Lizzie, schuin aan de overkant. Ze elleboogt zich door de menigte naar voren tot ze op de eerste rij staat. Iets achter haar danst de bos krullen van Shayla. Evi en ik zwaaien en gillen uit alle macht, maar ze zien het niet. Dan hoor ik opnieuw de speaker. 'Harm en Bart uut Oosterkerk zull'n gaan strijd'n tegen Tom en Stijn van het zomerkamp in de boerderie. Mag ik een warm applaus voor deze heer'n!'

Bij het horen van Toms naam, gaat er een steek door me heen. Shit, ik had hier met hem kunnen zijn. Samen slenteren over het plein, chillen op een terrasje, romantisch in één botsautootje. Schei uit, Pien, denk ik nuchter. Tom is een player, zo fout als wat. Op slag zijn mijn verliefde gevoelens verdwenen.

'Zie je dat?' Evi stoot me aan.

Ik knik alleen maar.

Tom staat in het zand, vlakbij het net. Ik moet toegeven, hij ziet er sexy uit met z'n strakke shirt en opgerolde jeans. Ik kijk naar Lizzie en daarna weer naar Tom. Die staat me toch te flirten en stoer te doen. Moet je 'm nou zien, een beetje showen met dat bruine, gespierde lichaam van 'm. Wat een aansteller, alsof hij de beste beachvolleyballer ter wereld is.

De wedstrijd begint.

'Ze zijn best goed.' Evi kijkt vol bewondering naar het veld.

'Wie? Tom en Stijn?'

'Ook, maar ik bedoel eigenlijk die twee jongens uit het dorp. Moet je kijken, die ene is hartstikke lang, hij mept die ballen zó easy over het net.'

Het gaat gelijk op. 'Weet je, ik hoop dat Tom verliest. Dat verdient ie!'

Uitgerekend op dat moment scoort Tom een prachtig punt. Brutaal en irritant zelfverzekerd kijkt hij naar Lizzie. Die ziet er natuurlijk ook best sexy uit, overdressed of niet. Maar ze toont slechts een zuinig lachje, een fake one.

De wedstrijd gaat verder en Tom blijft maar overdreven flirten en sjansen met Lizzie. Na ieder gescoord punt, lacht hij naar haar. Mag ik even een teiltje?

'Moet je kijken,' klaag ik tegen Evi. 'De uitslover. Denkt ie nou echt dat ie zo goed is?'

'Nee, maar wel dat ie zo elk meisje kan versieren,.'

'Nou, ik heb 'm door en dat zal ik 'm straks eens haarfijn vertellen ook.' Wacht maar, je bent nog niet van me af, denk ik.

De boys wisselen van kant, de tweede set begint. Tom scoort meteen een punt en ja hoor, daar gáán we weer. Constant op zoek naar Lizzie, Maar wacht, wat gebeurt daar? Zie ik dat nou goed? Hangt Lizzie nou om de nek van een totaal onbekende jongen? En wat doet ze nu? Zoent ze 'm nou? En niet zo'n beetje ook!

'Oh-My-God.' Mijn mond valt open van verbazing. 'Heeft ze haar verstand verloren?'

'Wie is die jongen? Is ie van Camps?' Evi is net zo verbijsterd als ik.

'Volgens mij niet...'

'Ze staat gewoon een complete stranger af te lebberen!'

'Eef, moet je dat gezicht van Tom zien!' gil ik opeens. 'Hij is helemaal afgeleid, hij gelooft zijn ogen niet. O Lizzie, wat ben je toch een doortrapt loeder.' Maar stiekem sta ik te genieten.

'Hij raakt geen bal meer,' schatert Evi. 'Hij ligt alleen maar in het zand te bijten. Die lange jongen scoort het ene na het andere punt.'

'Dit is crazy!'

Lizzie staat nog steeds innig te doen met die boy. Dan, eindelijk, laat ze hem los. Ze fluistert nog wat in zijn oor en kijkt triomfantelijk naar Tom. Met haar neus in de wind draait ze zich om en verdwijnt in de menigte.

'Ik moet nú naar haar toe.' Zonder me om Evi te bekommeren, worstel ik me door de mensenmassa, op zoek naar Lizzie. Daar, daar staat ze, bij de bar.

'Lizz, waar was je in hemelsnaam mee bezig? Waar ken je die boy van?'

'Nergens van. Hij stond gewoon naast me. Maar ik werd zo gek van Toms geflirt. Moest hem een hak zetten.'

'Maar...' Ik ben nog steeds perplex.

'Het werd wel eens tijd. Tom terugpakken, bedoel ik. Vooral na wat hij jou allemaal heeft geflikt.'

'O Lizz, naughty girl.'

'Ik weet dat het maf is,' gaat Lizzie verder. 'Maar wat maakt het uit? By the way, ik heb die jongen wel eerst gevraagd of ie voor vijf minuten mijn vriendje wilde spelen. Nou, dat wou ie wel. Maarre... zag je Toms face? Hij flipte zowat.'

'Flippen? Hij veranderde in een motorisch gestoorde randdebiel. De ballen vlogen om z'n oren en hij lag alleen nog maar in het zand te bijten. Volgens mij heeft ie vet verloren.'

'Feels good.' Lizzie kijkt voldaan.

'En dat deed je voor mij?'

'Yep,' lacht Lizzie. 'Nou ja, ook een beetje voor mezelf natuurlijk. Hij zoende namelijk best lekker, die jongen.'

'Volgens mij komt ie uit het dorp, Lizz.'

'Ja, volgens mij ook.'

'Zo'n boer, weet je wel.'

'Nou, misschien moet ik m'n mening bijstellen. Ik bedoel, hij was echt wel cool.'

Lachend trek ik haar mee. 'Kom, we gaan op zoek naar Eef en Shayl.'

33

Evi en Shayla staan bij de ijscokar.

'Lekker, dat lust ik ook wel.'

'Ja, echt Italiaans.' Evi draait zich om. 'Maar waar was jij nou opeens?'

'Sorry, maar ik moest naar Lizz. Djiezz, wat die geflikt heeft. Dat geloof je nooit.'

'Wat? Vertel!'

Lizzie vertelt het hele verhaal aan Evi en Shayla, inclusief de sappigste details van haar impulsieve actie. De ijsverkoper schudt verbijsterd zijn hoofd. Italiaan of niet, hij begrijpt alles.

'Dat meen je niet!' Evi staart vol ongeloof.

'Maar wat een lef, Lizz,' zegt Shayla. 'Net goed voor die mooiboy.'

'Wat wil jij? Ik trakteer.' Lizzie graait in haar Louis Vuitton.

'Doe maar chocolate chip cookie. Twee bolletjes graag.'

Plotseling zie ik Tom, vlak bij de bar. Hij is alleen. Dit is mijn kans. 'Ben effe weg.'

Van binnen kook ik, maar zo nonchalant mogelijk stap ik op hem af.

'Hé hallo, Tom. Jij ook hier?' zeg ik zwoel. Ik ben verbaasd over mezelf. Dat ik dit durf.

Hij kijkt op. 'Hoi. Pien, toch?'

Even ben ik van m'n stuk gebracht. Wist ie nou m'n naam niet meer? Maar dan steekt mijn woede weer de kop op. 'Ja, ik ben het, Pien. P-I-E-N. Lang niet gezien, trouwens. Nog leuke dingen gedaan?' Voor hij kan antwoorden, ga ik verder. 'Ik wel. Ben met danceclass van het podium gedonderd en moest naar het ziekenhuis. Niks bijzonders, hoor. Gewoon een hersenschudding, wat blauwe plekken, een diepe wond en barstende koppijn. Moest alleen maar een nachtje blijven. Echt te gek allemaal. En o ja, kreeg ook nog een paar hechtingen.' Ik duw m'n haar opzij zodat hij de zwaluwtjes kan zien. 'Maar dat wist je natuurlijk allemaal al. Je was er toch bij toen ik viel?'

Ik zie Tom schichtig wegkijken. Hij heeft hier duidelijk geen zin in. Nou, ik wel. Ik raak juist lekker op dreef.

'Maar dat geeft niks hoor, dat je dan niets meer van je laat horen,' ratel ik door. 'Ik begrijp het best. Een vriendinnetje met koppijn dat ook nog eens niet uit de kleren wil, is best lastig.'

Tom neemt een slok en staart wat naar zijn glas. 'Ja, zo gaan die dingen.'

My God, hij is nog een grotere eikel dan ik dacht. Maar ik geef niet op. 'En wat een leuke meid hè, die Lizzie. Zo sexy, zo mooi, zo anders dan andere meisjes... Alleen een onwaarschijnlijke mannenverslinder. Ik bedoel, voor jou tien anderen. Niet helemaal te vertrouwen dus. Trouwens, jij ook niet.'

'Hoe bedoel je?' Tom kijkt me vragend aan.

'Nou, ik dacht dat wij wat hadden. Ik meen me zoiets te herinneren. Iets met een dropping en een loungebank en zo. Betekende dat dan niks voor jou?'

'Nou... eh... jawel. Maar je was ineens weg.'

'Ja duh, je wist toch waar ik was? In het ziekenhuis. Mike, die vriend van je, wist het ook. By the way, híj vroeg wel hoe het met me ging. Gister bij de disco. En je had m'n nummer toch? Maar nee, niet één sms'je. Je had het vast te druk met andere meiden.'

'Dat is helemaal niet waar.'

'O nee, en dat je met Lizzie stond te bekken, achter die boom. Of was dat soms je tweelingbroer? Toevallig is Lizz wel een echte vriendin, dus dat kon je niet voor me geheim houden.'

'Ja, weet je, ik kan er ook niks aan doen dat al die chicks achter mij aan zitten.'

'Je hebt helemaal gelijk, Tom.' Ik lach alleen maar. 'Natuurlijk kun je daar niks aan doen. Zo ben je nu eenmaal. Gewoon, een foute boy. Een player, een hosselaar. Een wandelende, hersenloze testosteroncel. Jammer alleen, dat ik daar niet voor val.'

'Maar Pien, wacht…'

'Nee, niks "Pien, wacht".'

'Ja, maar luister nou even.'

'Nee, ik ben helemaal klaar met je. Je kunt het shaken, Tommyboy.'

'Echt, ik kan het uitlegg…'

'Ik moet gaan, m'n ijsje smelt en dat zou balen zijn. Dag!' Trots – verwaand bijna – draai ik me om. Vervelend klootzakje, het feest is voorbij. Ik hoef je niet meer! Dan loop ik weg, zonder ook maar één keer om te kijken.

34

In gedachten verzonken, bots ik bijna tegen iemand op. Shit, het is Ilona. Hoewel, een sneaky plannetje schiet door mijn hoofd.

'Hé, wat grappig dat ik jou nou net zie,' zeg ik poeslief.

'Huh, hoe bedoel je?'

'Nou, weet je nog, tijdens de dropping? Die coole boy, die Tom? Laat ik hem nou net tegenkomen en guess what? Hij is he-le-maal alleen. Misschien kun jij hem wat opvrolijken, want bij nader inzien hoeven Lizzie en ik hem toch niet. Weet je, we zijn een beetje op hem uitgekeken. Dus hij is van jou. Dat wou je toch?'

'J-ja...' Ilona kijkt me nog steeds verbluft aan.

'O, en by the way, hij zoent niet onaardig. Ik bedoel, geen Johnny Depp, maar wel lang en vurig. Lekker snel ook, met z'n handjes. Wie weet...' Ik geef een ondeugende knipoog. Dan loop ik verder. Wauw, dat voelt goed.

'Waar was je nou ineens?' vraagt Lizzie nieuwsgierig.

'O, even iemand de waarheid vertellen.'

'Tom?'

'Yep.'

'En? Wat zei ie?'

'Wat denk je zelf? Van die typische mooiboy-antwoorden. Het was niet zijn schuld, het was niet waar en hij kon het me állemaal uitleggen. Maar weet je, ik ben helemaal klaar met hem.'

'Cool van je.'

'En laat ik nou ook nog tegen Miss Superbitch Ilona aanbotsen. Heb haar Tom aangeraden, echt een leuk setje.'

'Zei ik toch. Made for each other, die twee.'

Doelloos slenteren we over de jaarmarkt.

'En nu?' vraag ik.

'Nu wat?'

'Nou, wordt het niet eens tijd voor wat actie. Ik móet iets doen.' Door dat gedoe met Tom barst ik van de adrenaline.

'Je hebt gelijk, Pien, ik kan geen kraampje meer zien.'

'Me too.'

'Nee, dan die Frans Bauer-wannabe op het podium. Boeiend!'

'Dan blijven alleen de botsautootjes nog over,' constateer ik nuchter. 'Ik heb wel zin in een dodenritje. Nog meer liefhebbers, want...'

'Hoi Evi.' Ineens staat Mike voor onze neus. 'Ga je mee in de botsauto's? Ik heb kaartjes.'

'Eh...' Evi kijkt me snel aan. Ik zie haar twijfelen, maar het is duidelijk, ze wil dolgraag.

'Ja, leuk,' help ik haar. 'Kom, gaan wij ook.'

Niet veel later zitten we met z'n allen in de botsautootjes. Nou ja, zitten. We crossen wat af. Evi met Mike natuurlijk, en verder een heleboel Campers door elkaar. Lizzie, Shayla, Maartje, Tessa, Stijn, noem maar op. Zelfs Vince springt bij een van ons in het karretje.

Als ik met Lizzie rondcross, voel ik mijn hoofd weer bonken. Dit was geen goed plan. Ik heb een hersenschudding, weet je wel, spreek ik mezelf streng toe.

'Eh Lizz, ik voel me niet zo lekker.'

'Ja hè, het gaat hartstikke lekker.' Dubbel van het lachen knalt Lizzie tegen Shayla en Maartje aan. 'Daar, die kun je in je zak steken, Shayl.'

'We kunnen beter even stoppen,' gil ik. Ik kom nauwelijks boven de muziek uit.

'Stoppen? Het gaat net zo lekker. Kijk, daar komen Evi en Mike. Naar links, naar links!'

'O, kijk uit.' Lizzie geeft zo'n harde ruk aan het stuur dat ons botsautootje 360-graden in de rondte draait. 'Whaaah.' We gillen allebei tegelijk. Dan knallen we frontaal tegen de zijkant.

'Mijn hoofd doet echt ongelofelijk zeer!' schreeuw ik loeihard in haar oor.

Geschrokken kijkt Lizzie me aan. Gelukkig, een enorme toeter brengt rust in de hectiek.

'Ik moet eruit. Nu. Mijn hersenschudding, weet je wel.' Ik voel dat ik moet kotsen.

'He-le-maal vergeten, sorry.' Lizzie kijkt me schuldbewust aan. 'Gaat het wel?'

'Ja hoor.'

'Echt?'

'Don't worry. Ik moet alleen even gaan zitten.'

'Wacht, ik loop even met je mee.' Lizzie wil uitstappen.

'Hoeft niet, joh. Kijk, daar zijn wat bankjes. Ga jij maar lekker verder.'

'Oké, maar als het echt niet gaat, moet je het me zeggen, hoor.' Lizzie klinkt bezorgd.

'Doe ik.' Ik worstel me uit het karretje en dizzy schuifel ik naar de kant.

Met een zucht laat ik me op het eerste het beste bankje zakken. Oké, ik baal, maar zielig en alleen in m'n tent liggen, never ever. En nu ik zit, trekken de pijn en misselijkheid al wat weg. Misschien kan ik straks toch nog een rondje. Of nee, better not.

Dan zie ik iemand bij Lizzie in het botsautootje springen. Op het laatste moment, vlak voordat alles weer gaat rijden. Het is die jongen met wie ze heeft staan zoenen bij dat beachvolleybal. Hoofdpijn of niet, ik schuif naar het puntje van de bank. Oh My God, Lizzie met die dorpsboy in een piepklein autootje. Chill!

Het duurt wel vijf ritten voor Lizzie eindelijk uitstapt. Of waren het er acht? Evi en Shayla staan in ieder geval al uren bij de bar, als Lizzie zich naast me op de bank laat ploffen.

'Hoe gaat het, Pien? Voel je je alweer wat beter?'

'Wie was dat, Lizz? Zag ik dat goed, je vriendje-voor-vijf-minuten?'

'Ja...'

'O Lizz, wat is dat nou? Het lijkt wel of je bloost!'

'Ja…'

'Maar je valt toch niet op boeren?'

'Nee…'

'Ik bedoel, hij is toch van hier?'

'Ja. Zijn vader heeft een boerderij. Met allemaal koeien en zo.'

'Koeien? Zie je het voor je, melken om vijf uur 's ochtends. O ja, en mest ruimen. Fabulous.'

'Hij heet Arne,' zucht Lizzie, 'en hij is eigenlijk helemaal niet zo'n boerentiep. Weet je wat ie na de vakantie gaat doen?'

'Nee, vertel!'

'Nou, studeren.'

'Ja duh, lekker boeiend. Hogere Landbouwschool zeker. Master in de Koeienkunde.'

'Nee joh, Film- en TelevisieAcademie in Amsterdam.'

'Dat meen je niet.'

'Dat meen ik wel.'

'Cool. Gaat ie straks naar Hollywood?'

'Doe effe normaal, Pien. Hij wil tv maken. Docu's en zo.'

'Right.'

'En trouwens, niet alle boys hier lopen op klompen of staan met hun pootjes in de klei.'

'Moet je horen wie het zegt, Lizz.'

'Arne is heel anders.'

'Ja, ja, een hottie, zul je bedoelen. Met zoveel koeien om je heen word je vanzelf beestachtig sexy.'

Maar Lizzie houdt vol. 'Nee echt, Pien, hij is helemaal niet zo sexy. Hij is juist… ja, hoe zeg je dat… Hij is…nou ja, gewoon leuk. Hoe die doet en zo, je kunt echt met hem lachen.'

'Met hem lachen? Lizzie, sinds wanneer komt humor bij jou op de eerste plaats? Je valt toch alleen maar op bloedmooi en steamy hot? Zo ken ik je helemaal niet.'

'Nee echt, serieus, hij is zó grappig.' Lizzie lacht lief naar Arne. En dan zie ik het opeens, die blik in haar ogen. Nee, niet zo'n flirterige, maar een verliefde.

'Hé Pien,' gilt Shayla, haar handen vol plastic bekertjes. 'Moet je daar kijken!'

'Waar?'

'Daar bij die ijscokar. Daar staat Tom. Met Ilona!'

Ik lach. Het doet me niets. I'm so over him!

35

Bij de tent, liggend op m'n rug, staar naar de blauwe lucht. Evi is naar songwriting, Lizzie en Shayla naar dance. Ik kijk op m'n mobiel: elf uur geweest. Zal ik nog even bij ze in de schuur gaan kijken? Nee, beter van niet. Ik bedoel, dan zie ik die meiden enthousiast op dat podium, wil ik ook gelijk. Dat kan dus echt niet met die hersenschudding. Oké, best balen, maar vanavond mag ik wel los van mezelf. Ik draai me op m'n buik. Djiezz, de vakantie is alweer bijna voorbij. Nou ja, Camps dan. Een fractie van een seconde voel ik me somber. Kom op Pien, niet zo depri, move your ass. Weet je wat, ik ga gezellig bij Evi kijken.

Zachtjes doe ik de deur van het lokaal open. Evi zit op een tafel, blocnote op schoot, pen in haar hand. Onopvallend glip ik naar binnen. Fenna kijkt op en knikt vriendelijk.

Evi heeft niks in de gaten en gaat door met haar performance. 'Ik open mijn ogen / Zit rechtop in bed / Als jou had ik willen zijn / Maar ik ben ik.'

Oh My God, heeft Evi dit geschreven? Waar háált ze het vandaan?

'Prachtig Evi.' Fenna is zichtbaar onder de indruk. 'Je hebt iets heel eigens. Je weet duidelijk waar je heen wilt met je tekst. Ritme en sound gaan ook lekker samen.'

Evi speelt met haar pen en kijkt wat schuchter naar Fenna. Complimenten, daar kan ze niet goed mee dealen.

'Je kunt in diverse stijlen songs schrijven. Dat heb je deze week wel laten zien. Knap ook dat je bij dit nummer de bestaande tekst durft los te laten. Dat is echt niet makkelijk, believe me.'

'Dank je.' Snel gaat Evi weer op haar plek zitten.

'Goed, dat was het dan. Voor vandaag, voor deze week. Ik vond jullie een enthousiaste, gemotiveerde groep.' Fenna staat op. 'Eén tip nog: blijf oefenen, inspiratie komt niet vanzelf. En wees niet bang voor dat writer's block.'

Ik ren naar Evi. 'Djiezz Eef, you've got talent.'

'Pien, wat doe jij hier?' vraagt Evi verbaasd. 'Hoe lang ben je hier al?'

'Lang genoeg,' lach ik geheimzinnig. 'Kom, we gaan. Kijken of Shayl en Lizz al bij de tent zijn. We hebben straks die soundcheck.'

Ongeduldig wip ik van m'n ene op m'n andere been. Ik wil gaan. 'Schiet nou op, Lizz, wij zijn allemaal al klaar. Anders gaan we alvast, hoor. We kunnen Nikki toch niet laten wachten. Ik bedoel, ze komt speciaal voor ons. Voor onze soundcheck.'

'Ja,' valt Shayla me bij. 'Stel je eens voor dat we straks in PopFactory komen. Dan is Nikki daar natuurlijk ook. Als zang-coach, weet je wel. Dus als we het nu bij haar verknallen, kunnen we het dan wel shaken.'

'Wij in PopFactory? Keep on dreaming, Shayl,' proest ik.

De tent van Lizzie beweegt ondertussen heftig heen en weer.

'Lukt het? Wat doe je in godsnaam? Je rukt de stokken bijna uit de grond.'

Dan verschijnt Lizzie met rood hoofd en ontploft haar in de opening. 'Wat een megaklein hok is dit toch. Maar goed, ik ben weer decent. We kunnen.'

'Ik mis iets,' peinst Nikki. 'Dat ligt niet aan jullie, er ontbreekt gewoon iets.'

'Een sax.' Shayla weet het meteen. 'We moeten er een saxofoon bij hebben. Dat hoort gewoon bij deze song.'

'Tuurlijk, dat is het. Maar waar halen we die zo snel vandaan?'

'Mike,' zegt Evi zachtjes, vanachter haar drumstel. 'Mike speelt sax.'

'Hoe weet jij dat?' Heb ik nou zoveel gemist door die ene nacht in dat ziekenhuis, vraag ik me vertwijfeld af.

'Nou gewoon, die avond bij de bar, die disco. Toen heeft ie het me verteld.'

'O ja, die fijne discoavond. Nou, levert het tenminste nog íets goeds op,' stel ik nuchter vast.

'Effe centraal, meiden,' zegt Nikki. 'En, waar is die Mike dan?'

'Geen idee.'

'Bij Tom misschien?' oppert Shayla.

Shit, Tom. Compleet vergeten. Totaal van m'n harde schijf gewist. Gelukkig, ik voel helemaal geen kriebel meer. Helemaal niets.

'Ik vraag het straks wel even. Zullen we nog een up-tempo nummer spelen?' Evi wil duidelijk door.

Luuk, vandaag toevallig ook geluidstechnicus, geeft halverwege het nummer een teken dat alles oké is.

'Mooi, dat was een prima soundcheck. Zijn jullie er klaar voor, meiden?' vraagt Nikki.

We knikken.

'Enne, niet twijfelen, hè. Jullie barsten van het talent.' Om de beurt kijkt Nikki ons aan. 'Misschien ligt hier wel jullie toekomst. Ik bedoel, in de muziek. Nee echt, ik meen het. Ik werk met zoveel zangers en zangeressen, maar Shayla, jij hebt waar velen van dromen, star quality. Ik zou serieus overwegen om in deze business verder te gaan.'

Shayla weet niet wat ze hoort en heeft even geen tekst. Wij óok niet trouwens.

'Nou meiden, wat meer enthousiasme mag best. Ik bedoel het als een compliment. Niet alleen voor Shayla, voor jullie allemaal. By the way, hebben jullie al een naam voor jullie band?'

'Nee.'

'Geen flauw idee.'

'Nou, denk daar maar eens rustig over na. Maar ik moet het wel weten, voordat ik jullie vanavond ga aankondigen. Deal?'

'Deal.'

Dan loopt Nikki de schuur uit.

We hangen wat voor de tent. Gewoon, een beetje chillen. Eigenlijk zijn we best moe. Of zijn het de zenuwen voor vanavond? Vooral Lizzie lijkt nerveus, ze ligt geen seconde stil.

'Weet je...' begint ze.

'Nee,' giechel ik ad rem. 'Maar vertel.'

'Nou, Arne sms'te vanmiddag nog.'

'Wat! En dat hoor ik nu pas? Waarom weet ik nergens van? I lóve gossip.'

Stoïcijns gaat Lizzie verder. 'Ik heb hem voor vanavond uitgenodigd. Om te komen kijken naar ons optreden.'

'Lizz!'

'Wat?'

'Mag dat wel van Fons?'

'Geen idee. Maar een paar mensen meer of minder maakt toch niet uit. Ik bedoel, Arne is wel van hier. Dan mag het toch wel?'

'Van mij wel.'

'Van mij ook.'

'Weet je wat,' zeg ik, 'we vragen het zo wel even. Hé, daar loopt Vince!'

'Vi-ince!' gillen we en ik zie Shayla al op hem afstormen. Ze sleurt hem letterlijk mee naar onze tent.

'Girls, girls, what's up?' vraagt Vince enigszins beduusd.

'Nou, het zit namelijk zo...' begin ik en vertel hem ons idee. Ik kijk er zo lief mogelijk bij. 'Mag het, please?'

'Wat mij betreft, no problem. Trouwens, er komen ook nog Campers van de zeilcursus en het tenniskamp.'

'Hè, hoezo?'

'Nou die zitten hier vlakbij, aan de andere kant van het meer. Dus laat die Arne maar komen. Moet ie natuurlijk wél nog wat leuke vrienden meebrengen. Het dak moet er tenslotte af vanavond. Van de schuur, bedoel ik.' Vince ziet het helemaal zitten.

'Weet je, ik ga Arne nú sms'en.' Dolgelukkig pakt Lizzie haar iPhone en kruipt in de tent. Zie ik dat nou goed? Bloost ze? Is ze daarom zo nerveus? Niks voor haar.

'Shit!' gilt Shayla ineens. 'We moeten nog een naam verzinnen.'

'Een naam? Who? What?' gilt Vince nog harder.

'Voor onze band. We hebben vanavond ons optreden. Band Zonder Naam, dat kan écht niet.'

'Band Zonder Naam? BZN, bestaat zoiets? My God, horrible,' lacht Vince.

Even is het stil en zijn we in diep gepeins verzonken. Ik hoor m'n eigen hersens kraken.

'De Discodiva's?' probeer ik.

'Give me a break, Pien. Moet ik gelijk aan Patricia Paay denken.'

'Is die niet way over de houdbaarheidsdatum?' Vince lacht vals.

'Weet jij wat beters dan?'

'Eh... Queens of Mambo. Zoiets?'

'Vince, please! Klinkt meer als een stel limbodansers in een rieten rokje.'

'Eh… Chicks Rule dan?'

'Ja Shayl, chickies zijn we absoluut. En stoer ook. Girlpower, weet je wel. Maar ik breek m'n tong over die naam.' Evi staart naar de bosrand.

'Bedenk dan zelf wat, Eef. Jíj bent toch onze tekstdinges.'

'Sorry, heb even geen inspiratie, writer's block en zo. Bovendien, ik móet eerst iets eten.'

'Een tosti?'

'Ja lekker… '

'Voor mij ook.'

'O heerlijk, een met mozzarella, tomaatjes, rucola, pesto. I love tosti's,' mijmer ik.

'That's it!' Evi schiet overeind. 'De Tosti-girls! Zo noemt je vader ons toch ook altijd, Shayl?'

'Djiezz, je hebt gelijk. Maar… dan weet iedereen meteen dat we addicted zijn aan tosti's.'

'Wat maakt dát nou uit.' Evi gaat vastberaden verder. 'Ik bedoel, tosti bekt lekker én het betekent ook nog wat.'

'O ja, wat dan? Een geroosterde boterham met ham en kaas, toch?'

'Ja duh, maar ook Together On Stage To Impress, T-O-S-T-I. Tosti, dus.'

'Eef, je bent geniaal. Ik ben sprakeloos,' roep ik en kijk van Shayla naar Vince. 'Wat vinden jullie?'

'Lauw! Vet!'

'Ja, kicken! Humor ook.' Lizzie hangt intussen half uit de tent.

'Tosti-girls... hoe verzin je het. Hilarisch én catchy tegelijk. Zo'n naam vergeet je niet snel.' Het is overduidelijk, Vince is waanzinnig enthousiast.

'Nou, dat is dan geregeld,' besluit Evi.

Vince maakt een theatrale buiging. 'Ladies and gentlemen / here they are / mainstage / the band we've all been dying for / the... Tosti-girls!'

36

'Wat moet ik aan? Ik heb niks schoons meer. Moet je dit ruiken.'
'Ga weg, Lizz. Het meurt.'
'Ja, en dan is het daar straks ook nog bloody hot op dat podium, onder al die lampen.'
'En ik heb nu al klotsende oksels.'
'Hebben we eigenlijk iets dat een beetje bij elkaar past,' vraag ik. 'Ik bedoel, een soort van dezelfde stijl. We staan daar wel als band.'
'Ja da-ag, we gaan niet allemaal het zelfde aan doen. Crazy shit, we zijn geen Siamese vierling.'
'Nee, niet precies hetzelfde, maar allemaal een spijkerbroek of zo.'
'Of glitters.' Lizzie wappert met haar beruchte witzijden sjaaltje.
'Glitters?' Evi kijkt benauwd. 'Alsjeblieft, voor mij geen glitter-gedoe. Ik dacht, ik doe gewoon m'n jeans aan. En m'n All Stars. En o ja, dat t-shirt met Fashion Criminal erop. Trouwens, ik zit toch achter mijn drumstel, niemand die me ziet.'
'Ja, we moeten wel gewoon onszelf blijven,' beaamt Shayla. 'By the way, ik doe dat ene jurkje aan. Je weet wel. Mag wel een beetje sexy, toch?'
'Tuurlijk. Als zangeres moet je aan je performance denken.' Lachend kruip ik de tent in.
'Ach, eigenlijk hebben jullie wel gelijk,' hoor ik Lizzie zuchten. 'Het is ook wat Daan zei, dat we niet te statisch moeten zijn en zo. In zo'n strak jurkje kan ik me nauwelijks bewegen. En dan moet ik ook de hele tijd kijken of alles nog wel goed zit.

Ik wil geen toestanden zoals die zus van Michael Jackson.'

'Toestanden? Wat voor toestanden?'

'Je weet wel, stond op YouTube. De helft floept eruit en zo. Hilarisch.'

'Nou, ik doe gewoon m'n spijkerbroek aan. Met dat vintage hempje. Als ik het kan vinden, tenminste...' Fanatiek rommel ik in de berg kleren.

'Weet je, we doen gewoon alledrie onze jeans aan,' besluit Lizzie. 'Wat maakt het uit.'

'Als je haar maar goed zit,' relativeer ik. Dan spot ik iets paars in de stapel en snel trek ik m'n hemdje tevoorschijn.

Met z'n vieren slenteren we naar het toiletgebouw. Natuurlijk zijn we niet de enigen. Kijk, daar heb je Ilona. Ze staat voor de spiegel haar haar te doen. Iets ingewikkelds met nonchalante krullen en losse plukjes en zo.

Stoer stap ik op haar af. 'Wat een mooie krullen, doe je dat voor Tom? Zijn jullie nu een setje?' vraag ik vals.

'Wat denk je zelf?' Onverstoorbaar gaat Ilona verder met haar krultang. 'Trouwens, weet je al dat we vanavond samen optreden?'

'Wie, jij en ik?' Ik kan een lach nauwelijks onderdrukken.

'Ha, ha, very funny. Nee, ik en Tom natuurlijk. Doen we *Sacrifice* van Anouk, maar dan unplugged. Ik zing en Tom begeleidt me op z'n gitaar.'

'Oh, een ballad van Anouk, unplugged nog wel... Hoe focking romantisch.' Het is eruit voor ik er erg in heb.

'Nou, we hebben toevallig waanzinnig gerepeteerd vanmiddag. Het klonk echt mellow. Tom is ook zo fantastisch op z'n gitaar. En dan mijn stem erbij.' Verwaand gooit Ilona haar hoofd in haar nek en pakt dan haar peperdure mascara.

Ik zie het meteen, ze is smoorverliefd op Tom. 'Goh, wat leuk. Maar wist je al dat wij vanavond ook optreden?' zeg ik terloops. 'Je weet wel, met Shayla, Lizzie en Evi. Onze band, waar Nikki zo weg van is. Daar was je toch bij, toen we zaten te jammen en zij die extra workshops ging regelen? By the way, we zijn vanavond de slotact. We spelen wel een nummer of zes, en natuurlijk nog een toegift. Dat wordt knallen. Het dak gaat er af, volgens Vince.'

'Whatever.' Ilona gaat stug door met haar make-up.

'Maar jullie tweeën zijn vast ook heel goed.' Ik ben nu zo lekker op dreef, weet niet meer van ophouden. 'Weet je, ik hoorde van Vince dat er vanavond een hele bus gillende tennismeiden van Camps komt. Ik bedoel, korte rokjes, lange benen, strakke truitjes, dat ziet Tom vast wel zitten.'

'Hoezo, ziet Tom dat wel zitten? Hij is van mij, toevallig.'

'Tuurlijk is hij van jou, maar niets is zeker in het leven. Zeker niet voor een foute boy.'

'Foute boy? Wat bedoel je?' Van schrik schiet Ilona uit met haar mascara, een dikke klodder op haar wang. 'Shit,' vloekt ze binnensmonds en begint driftig te vegen.

'Nou, tot zo dan maar, bij het slotfeest,' zeg ik en duik snel een vrijgekomen douchehokje in.

37

'Oh popjes, dat ging superdepuper. Absolutely fabulous!'
Vince vliegt zijn meiden om de nek als ze van het podium komen. Samen hebben we backstage alles gevolgd.

'Vet!' Shayla stuitert van de adrenaline.

'Kan-nie-meer,' hijgt Lizzie. Haar borstkas beweegt hevig op
en neer. Ze is zo bezweet, dat ze haar zijden glittersjaaltje achteloos als handdoek gebruikt. Niet te geloven. Ik bedoel, niks voor
haar. Lizzie, onze fashionista, die haar accessoires misbruikt. Ze
is echt kapot en hapt naar adem. 'Water. Ik moet water. Nu!'

Vince staat al klaar met flesjes. 'Ik ben zo waanzinnig proud
op jullie. Wat een performance, amazing. Zelfs die moeilijke
draai ging fan-tas-tic, bij jullie allemaal. By the way, ik ben stiekem ook best wel een beetje trots op mezelf.'

Shayla en Lizz stralen.

Heel even voel ik een steek van jaloezie. Zó dansen, dat was
mij nooit gelukt. Niet mét, maar ook niet zonder hersenschudding. 'Ja, top,' zeg ik geforceerd.

Lizz geeft me een dikke hug. 'We hebben je wel gemist, hoor.'

'Ja, heel anders als jij niet naast me staat. Ik bedoel, tegen wie
moest ik nu opbotsen?' Shayla knipoogt en slaat ook een arm
om me heen.

Wat heb ik toch een supervriendinnen, denk ik en schaam me
voor mijn eigen jaloezie. 'Jullie kregen de zaal helemaal plat,'
zeg ik nu echt enthousiast. 'Had je die zeilboys moeten zien.
Die werden compleet wild van jullie sexy moves.'

'Heel wat spannender dan een week in een bootje op een

meer ronddobberen,' lacht Lizzie.

'Nee effe serieus. Jullie hebben het publiek al helemaal opge-warmd. En dan heb je nog geen noot gezongen, Shayl. Dat belooft wat voor ons optreden straks.'

Plotseling graaft Lizzie verwoed in haar Vuitton. 'Waar is m'n Pink Passion? Djiezz, ik meur nu al een uur in de wind.'

'Je hebt gelijk. Kom, effe snel opfrissen en omkleden. Later!' Shayla trekt Lizzie mee en samen verdwijnen ze naar buiten.

Langzaam loop ik naar de voorkant van het podium. De zaal is nog steeds bomvol.

'Pien!' hoor ik ineens boven het lawaai uit.

Ik stop en kijk om me heen. 'Hé Eef, waar was je al die tijd? Ik zag je nergens. Niet voor het podium en ook niet backstage bij Vince en mij.'

'O, ik stond bij die joelende zeilers, vet lachen. En toen zag ik opeens Mike. Nou, het is geregeld hoor.'

'Geregeld? Wát is geregeld?'

'Nou, dat ie zo ook gaat optreden.'

Ik snap er niks van, wat bedoelt Evi in godsnaam. 'Optreden? Jij met Mike, een duet soms? Net als Tom en Ilona?'

'Ja duh, dacht het niet. Nee, ik zou hem toch vragen om met ons mee te spelen. Je weet wel, dat ene nummer.'

'O ja, met die sax.'

'Hij doet het, hij wil wel meejammen.'

'Maar kan ie wel goed improviseren? Ik bedoel, we hebben he-lemaal niet met hem gerepeteerd.'

'Tuurlijk. Hij speelt toch in een band. Best professioneel, ze tre-den regelmatig op.'

'Chill. Moeten we absoluut aan Shayl en Lizz vertellen. Kijk, daar heb je ze net.' Ik zwaai uitbundig.

Lizzie stuift onze kant op. 'Weet je wat ik net hoorde? Ilona en Tom gaan zo optreden! Hoop dat ze gigantisch op hun bek gaan,' voegt ze er vals aan toe.

'Weet ik. Ze gaan een ballad van Anouk coveren,' zeg ik doodleuk.

'Wat! You're kidding. Dat kan niet goed gaan. Zelfs Chiara bij PopFactory had daar moeite mee. En dat is toch echt een supertalent.' Shayla schudt meewarig haar bos krullen. 'Ik bedoel, tijdens de workshop zang had Ilona nou niet bepaald een ruige stem. Eerder een beetje zoetsappig. Sugababes-achtig, zeg maar.'

'Sst, volgens mij begint het weer.'

Op het podium zie ik twee lege barkrukken, verlicht met één enkel spotlight. Dan komen Ilona en Tom op. Vol zelfvertrouwen kijkt Ilona de zaal in. Heel even laat ze haar blik op mij rusten. Hij is van mij, mimet ze en toont een piepklein lachje. Maar het doet me niets. He-le-maal niets.

Tom gaat zitten, laat z'n gitaar op zijn been rusten en slaat het eerste akkoord aan.

'Mm, not bad,' zegt Evi. Ik moet toegeven, ze heeft gelijk.

'Nou, wacht maar. Duurt niet lang meer.' Lizz hoopt duidelijk op een afgang.

Dan zet ook Ilona in. Eerst nog een beetje iel, maar heel langzaam klinkt haar stem toch vaster.

'Niet echt slecht, toch?' moet ik bekennen.

'Klopt, maar wat ik al zei: veel te lief en te weinig volume. Past gewoon niet bij dit nummer.'

Toch lijkt Ilona helemaal overtuigd van haar talent. Verliefd kijkt ze naar Tom. Maar die heeft alleen maar oog voor zijn snaren, en af en toe voor iemand in de zaal. Vast een of ander chickie, denk ik. Zelfingenomen player dat ie is. Zó honderd procent fout.

Het publiek is onrustig en duidelijk afgeleid. Een jongen naast me steekt twee vingers in zijn mond en fluit. 'Zing eens een toontje lager,' joelt hij. 'En een beetje ruiger graag. Je lijkt wel die duffe uit PopFactory.'

'Ja, duffe Diana.'

Vanuit de zaal klinkt gelach en ik zie de paniek op Ilona's gezicht. Haar ogen schieten heen en weer, van Tom naar het publiek en naar iemand in de coulissen. Ze is duidelijk van slag en hakkelt en stuntelt zich een weg door het nummer. Na weer een valse noot valt ze stil.

'Verdomme Ilona, zing door. Je gaat het nu niet verkloten voor me!' hoor ik Tom sissen. Fanatiek speelt hij verder, steeds hetzelfde riffje. Maar Ilona staart wezenloos voor zich uit, de microfoon als versteend in haar hand.

'Volgens mij heeft ze een black-out,' fluister ik.

'Yo girl, yo girl. Ze gaat af, ze gaat af,' rapt Lizz. Shayla en Evi komen niet meer bij.

Dan rent Ilona van het podium, dikke tranen in haar ogen. Geloof het of niet, ik heb bijna medelijden met haar.

38

Zenuwachtig en stijf van de spanning gluren we vanuit de coulissen de zaal in. Evi staat te wiebelen op haar tenen. 'Wel veel mensen hè.'

'Te gek toch,' zeg ik. 'Tof ook dat ze die tennissers en zeilers geregeld hebben.'

'En vergeet Arne en z'n vrienden niet,' valt Lizzie me bij. 'Die heb ik mooi geritseld. Het is nu echt volle bak.'

'Ja, maar dit is wel wat anders dan bij mij in de garage oefenen. Ik ga kapot.' Evi slaakt een zucht. 'Ik bedoel...'

'Oh My God!'

'Wat? Wat is er?'

'Oh My God!'

'Pien, alsjeblieft!'

'Oh My God!'

'Doe effe normaal, ja. Zeg nou wat er is.'

'D-d-daar...' stotter ik.

'OH-MY-GOD!' Ook Lizzie heeft het nu gezien.

Naast Nikki staat Jeroen Lindhout. Dé voorzitter van de jury van PopFactory! Van schrik kan ik geen woord meer uitbrengen. Wat doet hij hier? Is het wat ik denk dat het is? Ik hap naar adem, steek als een robot m'n arm uit en wijs alleen maar.

Nieuwsgierig volgen Evi en Shayla mijn vinger. Dan zien ze het ook. Bij Evi schieten acuut de vlekken in haar nek, dat zie ik zelfs in het halfdonker. Shayla begint onsamenhangend te hakkelen. Dan, ineens ziet Nikki ons staan. Ze zegt wat tegen die Jeroen en samen komen ze onze kant op.

'Hé meiden, zijn jullie er klaar voor? Enne, hebben jullie nog een naam bedacht? Trouwens, ik wil jullie ook even aan iemand voorstellen. Een collega en goede vriend van me, van PopFactory. Jullie kennen 'm vast wel.'

Ik staar met open mond naar Jeroen. Op nog geen meter afstand van mij staat het meest kritische jurylid van Nederland. Ik kan hem bijna aanraken.

Vriendelijk steekt hij zijn hand uit. Wazig kijk ik ernaar en kom dan langzaam bij mijn positieven. 'H-hal-lo...'

'Zo, dus jullie zijn die talentvolle dames waar Nikki het steeds over heeft.'

Ik kijk naar mijn vriendinnen. Die zijn net als ik totally van de kaart. Daar komt voorlopig geen zinnig woord meer uit. Dan haal ik diep adem en neem dapper het woord. 'Ja, Nikki is inderdaad best enthousiast over ons. Geloof ik.'

'Nou, kick some ass, zou ik zeggen,' moedigt Jeroen ons aan. 'Ben reuze benieuwd.'

Fons loopt het podium op en pakt de microfoon. 'Hallo Campers, het zit er alweer bijna op. Voor vanavond, maar ook deze fan-tas-ti-sche week.' Hij pauzeert even en kijkt de zaal rond. 'De afgelopen dagen hebben we ontzettend veel geleerd. Veel daarvan hebben jullie vanavond al kunnen zien. En – dat gebeurt echt niet iedere week – we hebben een meidenband ontdekt. Maar hierover geef ik onze zangcoach graag het woord.'

Ik zie Nikki de microfoon overnemen van Fons. 'Inderdaad, ik kan wel zeggen een megaontdekking. Misschien wel Nederlands nieuwste popgroep. Met hitpotentie. Ik heb het over vier meiden, vier beste vriendinnen, die enorm kunnen knallen. Ze vormen een team, zijn muzikaal, hebben lol en mogen zich vanaf vandaag officieel een meidenband noemen. Hier zijn ze. Make some noise for Shayla, Lizzie, Pien en Evi. Together On Stage To Impress: de Tosti-girls!'

Een voor een komen we het podium op. Alle ogen zijn op ons

gericht. Met de microfoon in haar hand draait Shayla zich om en kijkt ons aan. Kort knikken we naar elkaar. Nu gaat het gebeuren! Nog wat onwennig begint Lizzie het intro van *Pokerface*. Evi en ik vallen haar bij en niet veel later zet Shayla in. Zodra haar stem klinkt, wordt het heel even doodstil in de zaal. Dan barst er een oorverdovend gejuich los. Terwijl mijn vingers de snaren snoeihard indrukken, deint de menigte op en neer. Ze dansen aan onze voeten.

Als het laatste akkoord wegsterft, staat de zaal op ontploffen. De adrenaline giert door mijn lijf. Verbaasd en wildenthousiast draai ik me om en zie Evi stralen. Djiezz, wat is dit kicken, zo chill, retecoo…

Ineens hoor ik Shayla het volgende nummer aankondigen: '… en nu een megahit, een van de lekkerste songs van Kane, *Rain Down on Me!*'

Meteen hoor ik Lizzies gitaar. Eerst nog zachtjes, maar al gauw beukt ze erop los. Als in trance spelen we zo nog drie nummers. Het zindert in de zaal, de massa golft. Het dak gaat er bijna af. Dronken van geluk sta ik op het podium. Optreden, aandacht, erkenning, applaus. Maar vooral de magie van muziek. Dit is megaverslavend!

Vooraan, vlakbij het podium, zie ik Milan, Tessa, Maartje, Stijn, Sharon. En Arne…

'Moet je kijken wie er is,' fluister ik tegen Lizzie.

'Oh My God,' hapt ze naar adem.

Djiezz, die is verliefd. Dan komt Mike het podium op, zijn saxofoon om zijn nek. In de coulissen hoor ik Nikki ons aanmoedigen. 'Goed gefixt, meiden. Enne, geniet van het moment!'

'Ladies and gentlemen, here is our special guest for tonight: Mike!' gilt Shayla. Als een echte pro maakt Mike een buiging. Dan zet hij de sax aan zijn mond, blaast zijn wangen bol en een swingende sound vult de ruimte.

'Cool man, funky,' roept iemand vanuit het publiek.

Mike lacht en pauzeert even. 'Come on, Tosti-girls. Here we go.

One, two, three.' Even later schalt *Rehab* door de schuur. Vanaf het eerste akkoord gaan we er vol in. Het is alsof Mike al jaren met ons speelt. My God, wat is die gozer goed.

'We want more. We want more,' klinkt het als we het podium afstappen, de coulissen in. Compleet in een roes staan we maar wat. Dan tikt er iemand op mijn schouder. Als ik me omdraai, kijk ik in twee staalblauwe ogen. Tom…

'Hé Pien. Dat was kicken! Ik wist niet dat jullie zo goed waren.'

Ik kijk hem uitdagend aan. 'Dank je. Verder nog iets?'

'Nou ja, eigenlijk wel. Ik bedoel, ik heb een ongelofelijke fout gemaakt. Ik… ik had nooit zo tegen je moeten doen. Zeker niet toen je met die hersenschudding in het ziekenhuis lag.'

'Nee, inderdaad.'

'Het spijt me echt, Pien. Hoe kan ik het goedmaken? Morgen bij het ontbijt? Een nieuwe date?'

Ik geloof mijn oren niet. Staat Tom hier nou te smeken of ik weer z'n vriendinnetje wil zijn? En Ilona dan, heeft ie haar nu alweer gedumpt, na die vette mislukking op het podium?

'Please? Ik vind je zo bijzonder. Echt. Dus wat denk je, morgen om negen uur?'

'Wat denk je zelf?' hoor ik Lizzie tegen hem zeggen. 'Een beetje recht lullen wat krom is? Denk je zo Pien terug te krijgen. Na alles wat je haar geflikt hebt. En by the way, mij ook? Je kunt het shaken Tommyboy. Pien komt echt niet bij je terug.'

'Inderdaad, zoek maar een ander slachtoffer,' zeg ik ijzig.

Dan komen Nikki en Vince aangelopen. 'Wat staan jullie hier nou, meiden? Horen jullie niet dat ze meer willen. Meer van de Tosti-girls?'

'Ja hup, back on stage. Nog één keer vlammen. Tot het gaatje!' Vince gaat uit zijn plaat.

Vol enthousiasme spelen we nog twee nummers. Dan is het echt voorbij. We lopen naar voren, pakken elkaars hand en maken een diepe buiging. Ondertussen blijft het publiek maar juichen en klappen. Shayla kijkt glunderend naar Nikki. Vince knipoogt naar me en steekt zijn duim omhoog. Naast hem zie ik Jeroen Lindhout strak voor zich uitkijken. Zie ik dat goed, heeft hij toch een glimlach op zijn gezicht?

Dan slaan we onze armen om elkaars schouders en tegelijk maken we nog een laatste, diepe buiging. Lachend en stralend komen we weer overeind en opgewonden vliegen we elkaar in de armen. Vier best friends forever, verslaafd aan tosti's én muziek. Dan stommelen we met z'n allen de coulissen in.

'Jeetje, wat waren we goed.'

'We hebben de zaal compleet ingepakt.'

'Ja, totally crazy gemaakt.'

Plotseling gaan de discolichten aan en dreunt een funky dancebeat uit de boxen.

'Partytime!' gilt Shayla. 'Kom op, meiden.'

'Ja, let's dance. Tot de zon opkomt.'

'Yep, maar eerst wat eten. I nééd een tosti.'

Stikkend van de lach, stappen we met z'n vieren het trapje af. Ik voorop. Ik heb zo'n haast, dat ik bijna over mijn eigen benen struikel. Dan sta ik ineens oog in oog met Jeroen Lindhout. Hij lacht geheimzinnig. 'Nou Tosti-girls, ik kan maar één ding zeggen: See you soon...'

Wordt vervolgd...